科《か》学《がく》探《たん》偵《てい》 謎《なぞ》野《の》真《しん》実《じつ》シリーズ
科学探偵
vs.

妖魔の村

もくじ

この本《ほん》の楽《たの》しみ方《かた》

この本のお話《はなし》は、事件編《じけんへん》と解決編《かいけつへん》に分《わ》かれています。登場人物《とうじょうじんぶつ》と一《いっ》緒《しょ》にナゾ解《と》きをして、事件《じけん》の真相《しんそう》を見《み》つけてください。ヒントはすべて、文章《ぶんしょう》と絵《え》の中《なか》にあります。

謎野真実《なぞのしんじつ》

エリート探偵育成学校《たんていいくせいがっこう》・ホームズ学園《がくえん》出身《しゅっしん》で、
天才的《てんさいてき》な頭脳《ずのう》と幅広《はばひろ》い科学知識《かがくちしき》を持《も》つ。
「科学《かがく》で解《と》けないナゾはない」が信条《しんじょう》。

宮下健太《みやしたけんた》

成績《せいせき》もスポーツも中《ちゅう》ぐらいの
〝ミスター平均点《へいきんてん》〟。
超《ちょう》ビビリなくせに、
不思議《ふしぎ》なことが大好《だいす》き。

青井美希《あおいみき》

新聞部部長《しんぶんぶぶちょう》で、
ジャーナリスト志望《しぼう》。
健太《けんた》とは幼《おさな》なじみ。

登場人物《とうじょうじんぶつ》

完全寺満夫《かんぜんじみつお》
自称《じしょう》・霊能者《れいのうしゃ》。
オカルト騒動《そうどう》が起《お》きた
場所《ばしょ》に現《あらわ》れる。

ハイテンション・アガル
動画《どうが》サイト
「ＩＴｕｂｅ《アイチューブ》」でかつて
人気《にんき》のあった、落《お》ち目《め》の
アイチューバー。

矢戸田継男《やどたつぐお》
山風村《やまかぜむら》で唯一《ゆいいつ》の宿《やど》・
矢戸田旅館《やどたりょかん》の若旦那《わかだんな》。

山尾守《やまおまもる》
山小屋《やまごや》に住《す》む、
へんくつなおじさん。
「山《やま》が怒《おこ》ってるぞ！」
が口《くち》ぐせ。

恐井恐子《こわいきょうこ》
妖怪《ようかい》マンガ家《か》。
代表作《だいひょうさく》は、
『妖怪探偵《ようかいたんてい》ヨーカイくん』。

山《やま》風《かぜ》村《むら》妖《よう》怪《かい》出《しゅつ》没《ぼつ》マップ
山小屋《やまごや》
雪原
登山道入口
矢戸田旅館《やどたりょかん》
矢戸田旅館
ひょうたん淵《ぶち》の洞窟《どうくつ》
洞窟《どうくつ》の奥《おく》に、赤《あか》く光《ひか》る目《め》を持《も》つ化《ば》け物《もの》が現《あらわ》れる。その姿《すがた》を目《もく》撃《げき》した人《ひと》は、影《かげ》を喰《く》われ、死《し》んでしまうという。
ようこそ山風村《やまかぜむら》へ
ココ
風雪山《ふうせつさん》
車道《しゃどう》
山《やま》道《みち》
ふもとのバス停《てい》
山姥出没《やまんばしゅつぼつ》!?
村《むら》に至《いた》る山《やま》の中《なか》に、旅人《たびびと》を喰《く》う老婆《ろうば》がいるというわさ。

風雪山《ふうせつさん》の雪原《せつげん》
赤《あか》ん坊《ぼう》を抱《だ》いた雪女《ゆきおんな》が出没《しゅつぼつ》。赤《あか》ん坊《ぼう》の泣《な》き声《ごえ》が聞《き》こえたら、もう逃《に》げられない。
村《むら》はずれの丘《おか》
頂上《ちょうじょう》に1本《ぽん》の大《おお》きな木《き》がある丘《おか》。顔《かお》だけの男《おとこ》が現《あらわ》れ、丘《おか》に炎《ほのお》があがったという。
村役場《むらやくば》
山風村《やまかぜむら》バス停《てい》
せんべい屋
せんべい

山風村《やまかぜむら》へのアクセス

ふもとの町《まち》からは、バスで約《やく》1時間《じかん》（1日《にち》2本《ほん》）。山道《やまみち》をハイキングすれば、約《やく》5時間《じかん》。

登山《とざん》をしていたひとりの若者《わかもの》が、山《やま》の中腹《ちゅうふく》まで下《お》りてきた。

季節《きせつ》は早春《そうしゅん》。しかし、この日《ひ》はとりわけ寒《さむ》く、気温《きおん》は0度《ど》をはるかに下回《したまわ》っている。

あたりは一面《いちめん》真《ま》っ白《しろ》な雪《ゆき》に覆《おお》われていた。

「ううっ、寒《さむ》っ！」

若者《わかもの》は、ブルッと体《からだ》を震《ふる》わせる。

「でも、すごい景色《けしき》だなぁ～」

眼下《がんか》には、雲海《うんかい》と、雄大《ゆうだい》なパノラマが広《ひろ》がっていた。

（なんか……怖《こわ》いくらいに静《しず》かだ……）

「おぎゃー、……おぎゃー」

そのとき、どこからともなく、赤《あか》ん坊《ぼう》の泣《な》き声《ごえ》が聞《き》こえてきた。

(えっ!?　こんな山《やま》の中《なか》に……赤《あか》ん坊《ぼう》!?)

若者《わかもの》は、驚《おどろ》いてあたりを見回《みまわ》す。

すると、尾根《おね》の向《む》こうから、白《しろ》い人影《ひとかげ》が近《ちか》づいてくるのが見《み》えた。

若者《わかもの》が目《め》をこらすと、人影《ひとかげ》はだんだんとこちらに近《ちか》づいてくる。

その人《ひと》は、白《しろ》い着物《きもの》を着《き》て、腕《うで》に赤《あか》ん坊《ぼう》を抱《だ》いている。

長《なが》い黒髪《くろかみ》のあいだからのぞく顔《かお》は雪《ゆき》のように白《しろ》く、この世《よ》のものとは思《おも》えなかった。

(……なんだこの女《おんな》は!?　オレは幻覚《げんかく》を見《み》ているのか!?)

若者《わかもの》の背筋《せすじ》に、ゾクリと寒気《さむけ》が走《はし》る。

「おぎゃー、おぎゃー」

腕《うで》の中《なか》で、赤《あか》ん坊《ぼう》は泣《な》き続《つづ》けている。

その人《ひと》は、震《ふる》えるような、
か細《ぼそ》い声《こえ》で若者《わかもの》に話《はな》しかけてきた。

「コノ子《こ》ヲ……抱《だ》ッコシテクレマセンカ？」

赤《あか》いくちびるが
三日月《みかづき》の形《かたち》になり、妖《あや》しい笑顔《えがお》を見《み》せる。

「や……やめろ！　こっちに来《く》るな！」

若者《わかもの》は恐怖《きょうふ》を感《かん》じ、あとずさりした。
そのとき、赤《あか》ん坊《ぼう》がくるりとこちらを向《む》く。
その恐《おそ》ろしい形相《ぎょうそう》に、若者《わかもの》は息《いき》をのみ、凍《こお》りついた。
次《つぎ》の瞬間《しゅんかん》――。
赤《あか》ん坊《ぼう》は、大《おお》きく口《くち》を開《ひら》く。

「ぎゃあああああああっ!!」

白銀《はくぎん》の雪原《せつげん》に、若者《わかもの》の悲鳴《ひめい》が響《ひび》き渡《わた》った。

「ねえ、真実《しんじつ》くん、見《み》て見《み》て！」

おだやかな午後《ごご》。学校《がっこう》の校庭《こうてい》に暖《あたた》かい日差《ひざ》しが降《ふ》り注《そそ》いでいる。

宮下健太《みやしたけんた》は、ベンチに座《すわ》る謎野真実《なぞのしんじつ》に、一冊《いっさつ》のマンガをうれしそうに見《み》せていた。

「何《なん》だい、それは？」

「『妖怪探偵《ようかいたんてい》ヨーカイくん』だよ。最新《さいしん》の4巻《かん》が出《で》たんだ」

『妖怪探偵《ようかいたんてい》ヨーカイくん』とは、妖怪《ようかい》と戦《たたか》う少年《しょうねん》を描《えが》いたマンガである。

「ぼく、妖怪《ようかい》が大好《だいす》きで。ヨーカイくんみたいな妖《よう》怪探偵《かいたんてい》になりたいなって思《おも》ってるんだよ」

「妖怪探偵《ようかいたんてい》ねえ。あまり需要《じゅよう》はなさそうだけど。そんなことより、学校《がっこう》にマンガを持《も》ってきていいのか

い？」

「ホントはだめだけど、ほらっ、図工《ずこう》の授業《じゅぎょう》で好《す》きなものを粘土《ねんど》でつくることになったでしょ？　それで、マンガの中《なか》に出《で》てくる妖怪《ようかい》をつくろうと思《おも》って」

「なるほど、そういうことならマンガを持《も》ってきても許《ゆる》されるだろうね」

「だけど、ヨーカイくん、４巻《かん》で終《お》わりなんだよねえ。１００巻《かん》ぐらい続《つづ》くと思《おも》ってたんだけど」


「ぎゃあああ!!」


突然《とつぜん》、校庭《こうてい》のすみのほうから叫《さけ》び声《ごえ》が聞《き》こえた。

「何《なん》だろう？　真実《しんじつ》くん、行《い》ってみよう！」

真実《しんじつ》と健太《けんた》は、声《こえ》のした場所《ばしょ》へ向《む》かう。

草《くさ》むらの前《まえ》で、ハマセンこと、学年主任《がくねんしゅにん》の浜田先生《はまだせんせい》がうろたえていた。

「何《なん》だこれは？　なぜ血《ち》が!?」

「浜田先生《はまだせんせい》、どうしたんですか!?」

健太《けんた》が尋《たず》ねると、ハマセンは健太《けんた》ではなく、真実《しんじつ》のほうに顔《かお》を向《む》けた。

「謎野《なぞの》、助《たす》けてくれ！　ここで掃除《そうじ》をしていたら、突然《とつぜん》強《つよ》い風《かぜ》が吹《ふ》いて、何《なに》かに襲《おそ》われたんだ！」

　ハマセンはそう言《い》って足《あし》を見《み》せる。

右足《みぎあし》のふくらはぎに、赤《あか》い線《せん》のような切《き》り傷《きず》が残《のこ》っていた。あわてて、健太《けんた》が言《い》う。

「強《つよ》い風《かぜ》って？　浜田先生《はまだせんせい》、それってもしかして『かまいたち』なのかも！」

「かまいたち」とは、つむじ風《かぜ》に乗《の》って現《あらわ》れて、鎌《かま》のような爪《つめ》で人《ひと》を傷《きず》つける、恐《おそ》ろしい妖怪《ようかい》だ。

「『かまいたち』だって？　宮下《みやした》、この学校《がっこう》は呪《のろ》われているってことか？　いや、オレが呪《のろ》われているってことか!?」

ハマセンはパニックになる。そんなハマセンを見《み》て、健太《けんた》も恐《おそ》ろしくなった。

すると、まわりを見渡《みわた》していた真実《しんじつ》が、口《くち》を開《ひら》いた。

「あれが原因《げんいん》ですね」

「あれ？」

健太《けんた》は真実《しんじつ》の見《み》ている方向《ほうこう》を見《み》る。

そこには、大《おお》きなマンションが２棟《むね》立《た》っていた。

「真実《しんじつ》くん、あのマンションがどうかしたの？」

瞬間《しゅんかん》、強《つよ》い風《かぜ》が吹《ふ》き抜《ぬ》けた。

まわりに生《は》えている雑草《ざっそう》が激《はげ》しく揺《ゆ》れる。

「今《いま》の風《かぜ》は何《なに》？」

「オレがさっき、けがをしたときも同《おな》じような風《かぜ》が吹《ふ》いたぞ!?」

「今《いま》の風《かぜ》は、あのふたつのマンションのあいだから吹《ふ》い

ビル風《かぜ》のしくみ

風《かぜ》が建物《たてもの》を回《まわ》り込《こ》んで吹《ふ》くため、建物《たてもの》と建物《たてもの》のあいだに風《かぜ》が集中《しゅうちゅう》し、勢《いきお》いを増《ま》す。

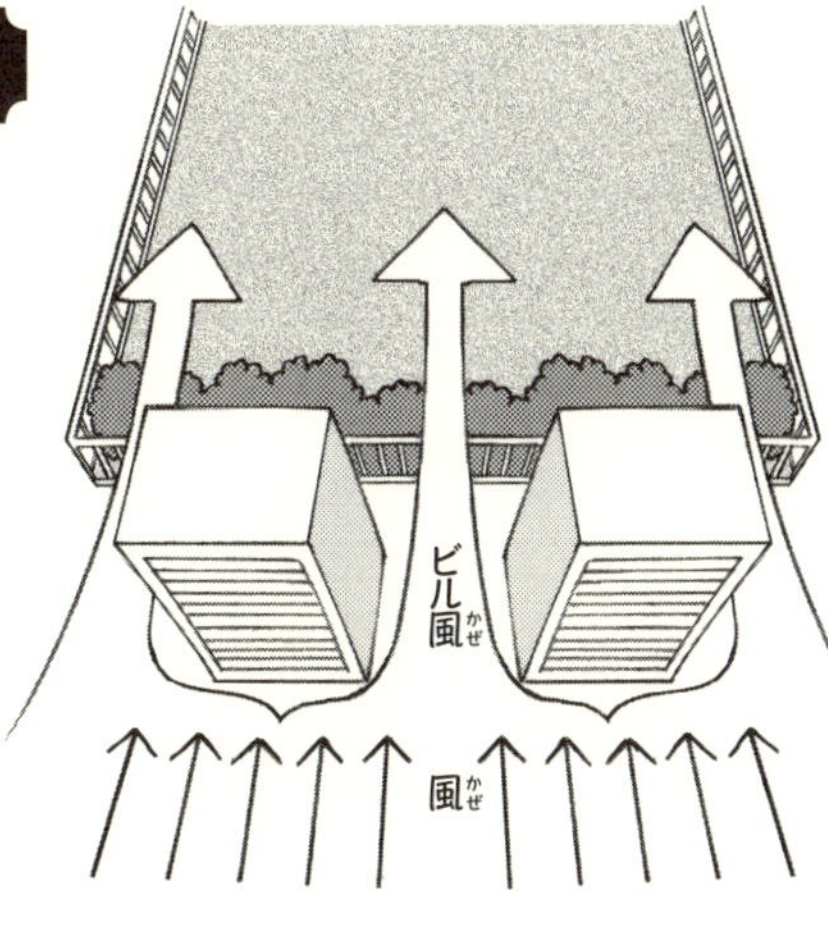

たんですよ。いわゆる『ビル風《かぜ》』です」

ビル風《かぜ》とは、高《たか》いビルに吹《ふ》いた風《かぜ》が、ビルをよけて狭《せま》いところを通《とお》りぬけるときに、より強《つよ》まる現象《げんしょう》だ。

「その風《かぜ》が、まわりの雑草《ざっそう》を激《はげ》しく揺《ゆ》らして、先生《せんせい》の足《あし》を切《き》ったんです。紙《かみ》きれ1枚《まい》でも手《て》を切《き》ることがあるように、雑草《ざっそう》の葉《は》でも手《て》や足《あし》を切《き》ることがありますからね。まあ、ありふれた自然現象《しぜんげんしょう》ですよ」

「な、なるほど、そういうことか……」

ハマセンは納得《なっとく》すると同時《どうじ》に、妖怪《ようかい》のせいにしていた自分《じぶん》を恥《は》ずかしく思《おも》い、顔《かお》を赤《あか》らめた。

「まあ、先生《せんせい》は最初《さいしょ》からそうだと思《おも》っていたけどな。ちょっと、謎野《なぞの》を試《ため》してみたんだ。ガハハハハ」

ハマセンは無理《むり》やり笑《わら》いながら、校舎《こうしゃ》のほうへ去《さ》っていった。

「なんだ、妖怪《ようかい》のせいじゃなかったんだ……」

「健太《けんた》くん、妖怪《ようかい》なんていないよ」

真実《しんじつ》も、校舎《こうしゃ》に戻《もど》ろうとする。

そのとき、ひとりの人物《じんぶつ》が真実《しんじつ》たちの前《まえ》に立《た》ちふさがった。


「妖怪《ようかい》はいるかもしれないわよ！」


青井美希《あおいみき》だ。健太《けんた》とは幼《おさな》なじみで、花森小学校新聞部《はなもりしょうがっこうしんぶんぶ》の部長《ぶちょう》。なにかと真実《しんじつ》の取材《しゅざい》をしたがる女《おんな》の子《こ》である。

「美希《みき》ちゃん、どういうこと？」

健太《けんた》が尋《たず》ねると、美希《みき》は「すごい依頼《いらい》が届《とど》いたの」と言《い》い、ニヤリと笑《わら》った。

「謎野《なぞの》くん、探偵《たんてい》としてすっかり有名人《ゆうめいじん》でしょ？」

デビルホームズとの戦《たたか》いのあと、真実《しんじつ》は少年探偵《しょうねんたんてい》として、一躍時《いちやくとき》の人《ひと》になった。

「それでわたし、ひそかに『名探偵《めいたんてい》・謎野真実《なぞのしんじつ》のお部屋《へや》』というホー

デビルホームズ
科学《かがく》を使《つか》ってナゾや怪《かい》奇現象《きげんしょう》をつくりだし、世界中《せかいじゅう》に送《おく》り込《こ》んでいる秘密組織《ひみつそしき》。詳《くわ》しくは、『科学探偵《かがくたんてい》 vs.《ブイエス》 消滅《しょうめつ》した島《しま》』を読《よ》もう。

ムページを立《た》ち上《あ》げたの」

「えええ、何《なに》それ？」

「だって、謎野《なぞの》くん、マスコミの取材《しゅざい》、全部《ぜんぶ》断《ことわ》っちゃったでしょ？」

テレビや新聞《しんぶん》は真実《しんじつ》を取材《しゅざい》しようとした。しかし、真実《しんじつ》はすべて断《ことわ》っていた。

「そういうのに興味《きょうみ》ないからね」

「謎野《なぞの》くんに興味《きょうみ》がなくても、向《む》こうは興味津々《きょうみしんしん》なの。わたし、マネージャーとして、そういうところはちゃんとしなきゃって思《おも》ってるんだから」

「美希《みき》ちゃん、いつから真実《しんじつ》くんのマネージャーになったの？」

「ホームページを立《た》ち上《あ》げたときからよ。ちなみに健太《けんた》くんは雑用係《ざつようがかり》よ」

「ええ、そんな～」

「そんなことより、わたし、ホームページに事件《じけん》の捜査《そうさ》を依頼《いらい》できるようにメール機能《きのう》をつけてたの。そうしたら、毎日《まいにち》のようにメールが来《き》て。まあ、ほとんどは、『物《もの》をなくしたので見《み》つけてください』とか『科学教室《かがくきょうしつ》の先生《せんせい》になってください』っていったものだったんだけど、一件《いっけん》だけすごい依頼《いらい》が来《き》てて」

「すごい依頼《いらい》？」

「ええ、そこにはこう書《か》いてあったわ」

村《むら》に「妖怪《ようかい》」が出《で》て、
みんなが怖《こわ》がっています。
謎野《なぞの》真実《しんじつ》さん、村《むら》に来《き》て、
なぜ妖怪《ようかい》が出《で》るのか、
その真相《しんそう》を
解《と》き明《あ》かしてください。

「ええっ、妖怪《ようかい》!?」

「健太《けんた》くん、妖怪《ようかい》なんていないよ。

何《なに》かの見間違《みまちが》いだろう」

「わたしもそう思《おも》ってたんだけど、

つい数日前《すうじつまえ》、登山者《とざんしゃ》が雪女《ゆきおんな》と出《で》くわして、襲《おそ》われそうになったんだって」

「雪女《ゆきおんな》に実際《じっさい》に会《あ》った、というのかい？」

「真実《しんじつ》くん、行《い》ってみようよ！　正直怖《しょうじきこわ》いけど、ぼく、本物《ほんもの》の妖怪《ようかい》を見《み》てみたいよ！」

「だから、妖怪《ようかい》は——」

真実《しんじつ》はそこまで言《い》うと、ふと、言葉《ことば》を止《と》めた。

雪女《ゆきおんな》を目撃《もくげき》した人《ひと》がいる——。

そのナゾは、聞《き》いただけでは解《と》き明《あ》かすことができない。

「まあ確《たし》かに、ちょっと、おもしろそうだね」

真実《しんじつ》は、健太《けんた》と美希《みき》を見《み》た。

「この世《よ》に科学《かがく》で解《と》けないナゾはない。行《い》ってみよう、妖怪《ようかい》が出《で》る村《むら》へ——」

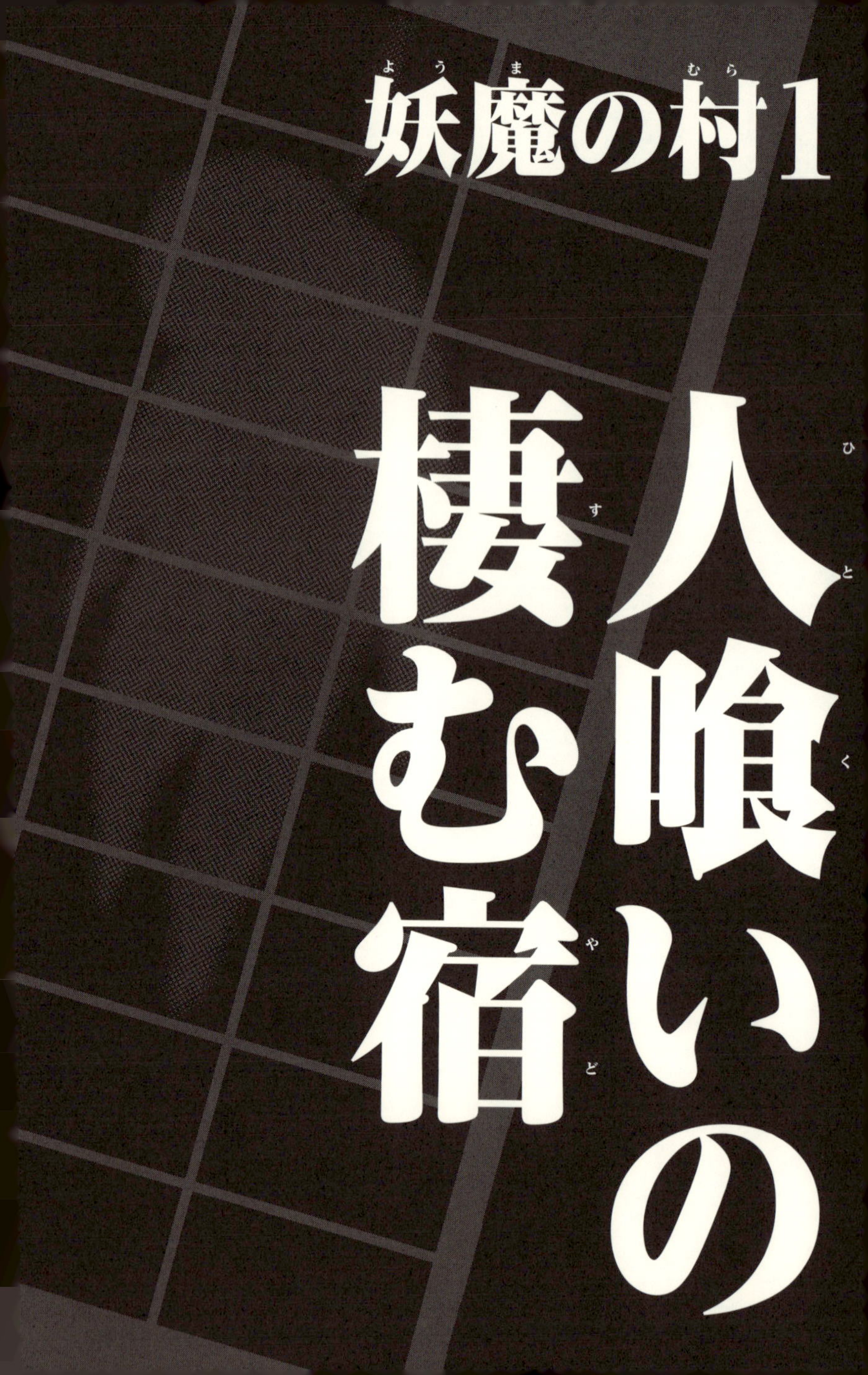

妖魔《ようま》の村《むら》1

人《ひと》喰《く》いの棲《す》む宿《やど》

3人《にん》は、雪《ゆき》の残《のこ》る山道《やまみち》を黙々《もくもく》と歩《ある》いていた。

先頭《せんとう》をズンズン歩《ある》いていた美希《みき》が、溜《た》め息《いき》をついて足《あし》を止《と》める。

「……あとどれくらいで着《つ》くんだろう？」

美希《みき》は疲《つか》れたようすでひざに手《て》をやり、うしろを歩《ある》く真実《しんじつ》たちのほうを振《ふ》り向《む》いた。

「もう2時間《じかん》ほど歩《ある》いているけれど、人里《ひとざと》の気配《けはい》がない。目的地《もくてきち》の宿屋《やどや》まで、まだ半分《はんぶん》も来《き》ていないようだね」

そう答《こた》えた真実《しんじつ》も立《た》ち止《ど》まる。ひたいには、汗《あせ》がうっすらとにじんでいた。

「えー、まだ半分《はんぶん》にも……？　ほんと最悪《さいあく》っ。バスを乗《の》り過《す》ごさなきゃ、こんなことにならなかったのに！」

美希《みき》は、木《き》の枝《えだ》を杖《つえ》にして遅《おく》れてやってくる健太《けんた》を、ジロリと見《み》た。

「誰《だれ》のせいで、こんなことになったのか」

「……ご、ごめん。つい『オサ掘《ぼ》り』に夢中《むちゅう》になっちゃって。アハハ」

「笑《わら》いごとじゃない！　ちゃんと責任感《せきにんかん》じてる？　1日《にち》に2本《ほん》しかないバス、その最終便《さいしゅうびん》を乗《の》り過《す》ごしちゃったのよ！　健太《けんた》くんが土《つち》の中《なか》のオサムシを探《さが》してたせいでね!!」

「だって、通《とお》りすがりのおじさんが、このへんにオサムシがいっぱいいるって教《おし》えてくれたから……。ついつい、掘《ほ》ってると楽《たの》しくなってきちゃって」

健太《けんた》は、思《おも》い出《だ》して笑《え》みをもらすが、すぐに、美希《みき》の刺《さ》すような鋭《するど》い視《し》線《せん》に気《き》づいた。

「いや、す、すみません……。たいへん申《もう》し訳《わけ》なく、思《おも》っております」

健太《けんた》は、そう言《い》って深々《ふかぶか》と頭《あたま》を下《さ》げた。

真実《しんじつ》はふたりをよそに、じっと地面《じめん》を見《み》つめていた。

「先《さき》を急《いそ》いだほうがいいみたいだ」

真実《しんじつ》が指《ゆび》さした先《さき》の地面《じめん》には、大《おお》きな穴《あな》ぼこがあった。

「こ、これって……もしかして」

「クマの足跡《あしあと》!?」

健太《けんた》と美希《みき》は、一瞬《いっしゅん》にして凍《こお》りついた。

そのときだった。

オサ掘《ぼ》り

土《つち》の中《なか》で越冬《えっとう》しているオサムシを、掘《ほ》り出《だ》して採集《さいしゅう》すること。オサムシは、山道《やまみち》のわきにある低《ひく》い崖《がけ》の土《つち》の中《なか》などで越冬《えっとう》することが多《おお》い。

健太《けんた》の背後《はいご》の草《くさ》むらが、大《おお》きくガサゴソッと揺《ゆ》れた。

健太《けんた》と美希《みき》は、ハッとして振《ふ》り返《かえ》り、真実《しんじつ》も、とっさに身構《みがま》えた。

「……えっ！」

茂《しげ》みから、ヌーッと現《あらわ》れる真《ま》っ黒《くろ》な頭部《とうぶ》。

毛《け》むくじゃらで、土色《つちいろ》の肌《はだ》をした生《い》き物《もの》が、ノソリッと道《みち》へと出《で》てきた。

それは——色黒《いろぐろ》でひげ面《づら》のおじさんだった。


「で、出《で》たー!! クマッ、クマ、クマ!!」


パニックになった健太《けんた》は、リュックからクマよけの鈴《すず》を取《と》り出《だ》して、必死《ひっし》に鳴《な》らす。

「健太《けんた》くん、違《ちが》う。クマじゃないよ」

真実《しんじつ》の言葉《ことば》で、目《め》を閉《と》じて一心不乱《いっしんふらん》に鈴《すず》を振《ふ》る健太《けんた》も、ようやくおじさんに気《き》づく。

「……あ、どうも」

健太《けんた》が気《き》まずそうにあいさつすると、山菜《さんさい》の入《はい》ったかごを背負《せお》っていたおじさんは汗《あせ》をぬぐい、健太《けんた》をジロリとにらんだ。

「誰《だれ》がクマだ。だいたいオメェ、オレと目《め》が合《あ》っただろが？　オレは山尾《やまお》守《まもる》っていう、れっきとした人間《にんげん》だ」

そして、３人《にん》をながめて、大《おお》きな声《こえ》を出《だ》した。

「オメェら……ここで何《なに》やってる!?　死《し》にてーのか!?　こんなとこでウロウロしてっと、嵐《あらし》に巻《ま》き込《こ》まれっぞ！」

健太《けんた》や美希《みき》は、いきなり怒鳴《どな》られてビクリとする。

「あ、あらし？」

健太《けんた》が不思議《ふしぎ》そうにつぶやくと、おじさんは無言《むごん》で空《そら》を見上《みあ》げた。

健太《けんた》たちも、つられて空《そら》を見《み》る。

（なんだ、雲《くも》は少《すこ》しあるけれど、ふつうの空《そら》じゃないか……）

「死《し》にたくなけりゃ、とっとと引《ひ》き返《かえ》すんだな。オメェらよそもんに、興味本位《きょうみほんい》で村《むら》をかき回《まわ》されるのにはうんざりだ！　いつか天罰《てんばつ》が下《くだ》るだろうよ」

おじさんは、そう言《い》い捨《す》てて、また山《やま》の茂《しげ》みへと消《き》えていった。

「あー、びっくりした。でも、ホントに嵐《あらし》なんて来《く》るのかしら？」

美希《みき》はふたたび空《そら》を見上《みあ》げた。

すると、遠《とお》くのほうでゴロゴロと低《ひく》く雷《かみなり》の音《おと》が鳴《な》った。

「おじさんの言《い》うとおりになりそうだ。山《やま》の生活《せいかつ》で、天気《てんき》を知《し》りつくしているんだよ。いったんふもとの町《まち》まで引《ひ》き返《かえ》して、あらためて明日《あした》、村《むら》を目指《めざ》そう」

真実《しんじつ》はそう言《い》うと、先頭《せんとう》に立《た》って、今来《いまき》た道《みち》を戻《もど》りはじめた。

３人《にん》は山《やま》を下《お》りようと歩《ある》いていたが、天候《てんこう》は急変《きゅうへん》し、風《かぜ》が強《つよ》くなってきた。

無情《むじょう》にも日《ひ》は傾《かたむ》いて、どんどんあたりが薄暗《うすぐら》くなってきた。

「ついに降《ふ》ってきたわ」

美希《みき》が手《て》を上《うえ》に向《む》けて差《さ》し出《だ》すと、雪《ゆき》の混《ま》じった細《こま》かい雨粒《あまつぶ》が、手《て》のひらを濡《ぬ》らした。

そのとき、林《はやし》の中《なか》に、ほのかな明《あ》かりが浮《う》かんだ。

「あっ、あれは何《なに》?」

美希《みき》がいち早《はや》く気《き》づいて、明《あ》かりを指《ゆび》さした。

明《あ》かりは、ゆらゆらと揺《ゆ》れながら、だんだん大《おお》きくなっていく。

「え……まさか人魂《ひとだま》とか?」

健太《けんた》は目《め》をこらして、薄暗《うすぐら》い山《やま》に突如《とつじょ》現《あらわ》れた不思議《ふしぎ》な光《ひかり》に見入《みい》った。

「……人《ひと》だ。誰《だれ》かがこっちに近《ちか》づいてきている」

真実《しんじつ》の言葉《ことば》どおり、光《ひかり》が近《ちか》づいてくると、それが古《ふる》ぼけた提灯《ちょうちん》の明《あ》かりだとわかる。

かなり腰《こし》の曲《ま》がった、もんぺ姿《すがた》のおばあさんが、木《き》の杖《つえ》をつきながら提灯《ちょうちん》を手《て》にやってきたのだ。

「……あんたらが……町《まち》からやってきた子《こ》どもたちだね」

おばあさんは弱々《よわよわ》しく、しゃがれた声《こえ》をしていた。

「そっ、そうです」

「あたしゃ……その先《さき》で宿《やど》をやっている者《もの》だ。待《ま》ってたよ。村長《そんちょう》から、ウチに泊《と》まると聞《き》いてたからね」

「……よかったぁ」

ずっと気《き》を張《は》り詰《つ》めていた美希《みき》が、ホッとして思《おも》わずその場《ば》にしゃがみ込《こ》んだ。

「あぁ、クマのエサにならずにすんだ」

健太《けんた》も、腰《こし》が抜《ぬ》けたようにしゃがみ込《こ》んだ。

「どうもお世話《せわ》になります。ご案内《あんない》、よろしくお願《ねが》いします」

真実《しんじつ》は、おばあさんに丁寧《ていねい》に頭《あたま》を下《さ》げた。

「こちらこそよろしく。あたしゃ、子《こ》どもが大好《だいす》きでね、この日《ひ》を楽《たの》しみにしていたんだよ。さぁ、ついておいで」

真実《しんじつ》たちがおばあさんのあとをついていくと、古《ふる》いトンネルが現《あらわ》れた。

提灯《ちょうちん》の明《あ》かりを頼《たよ》りに、一行《いっこう》は真《ま》っ暗《くら》なそのトンネルの中《なか》を進《すす》んでいく。

狭《せま》い内部《ないぶ》では、風《かぜ》が吹《ふ》くたびに、ビョーッと不気味《ぶきみ》な低《ひく》い音《おと》が鳴《な》り響《ひび》いた。

そして地面《じめん》はぬかるんで、ヌルヌルしていた。

（こんなとこを通《とお》るなんて……どうしてこんな場所《ばしょ》に宿屋《やどや》をつくったんだろう）

健太《けんた》はこわごわと歩《ある》きながら、不思議《ふしぎ》に思《おも》った。

トンネルを抜《ぬ》け、山道《やまみち》を歩《ある》いてゆくと、古《ふる》い茅葺《かやぶ》き屋根《やね》の大《おお》きな建物《たてもの》が見《み》えた。

「すごい……。とても歴史《れきし》を感《かん》じる宿屋《やどや》ね」

美希《みき》はそうつぶやいて、バッグからデジタルカメラを取《と》り出《だ》し、建物《たてもの》に向《む》けてシャッターを切《き》った。

「さぁ、ここさ」

おばあさんに案内《あんない》されて中《なか》に入《はい》ると、そこは、大《おお》きな囲炉裏《いろり》がある、風情《ふぜい》のある広間《ひろま》だった。

だが、ひっそりとして活気《かっき》が感《かん》じられない。

ほかの客《きゃく》の姿《すがた》が、まったく見《み》えないからだ。

「わたしたち以外《いがい》に、お客《きゃく》さんはいないんですか?」

美希《みき》は気《き》になって、おばあさんに尋《たず》ねてみた。

聞《き》こえなかったのか、おばあさんは何《なに》も答《こた》えず、客室《きゃくしつ》のほうへと歩《ある》きだした。

健太《けんた》は、先頭《せんとう》を歩《ある》くおばあさんの背中《せなか》を見《み》ていて、落《お》ち着《つ》かない気持《きも》ちになった。

(何《なん》だろ……この宿《やど》、なんかヘンだ……)

「おいしい! あたたまるわぁ。この、ホクホクの里芋《さといも》!」

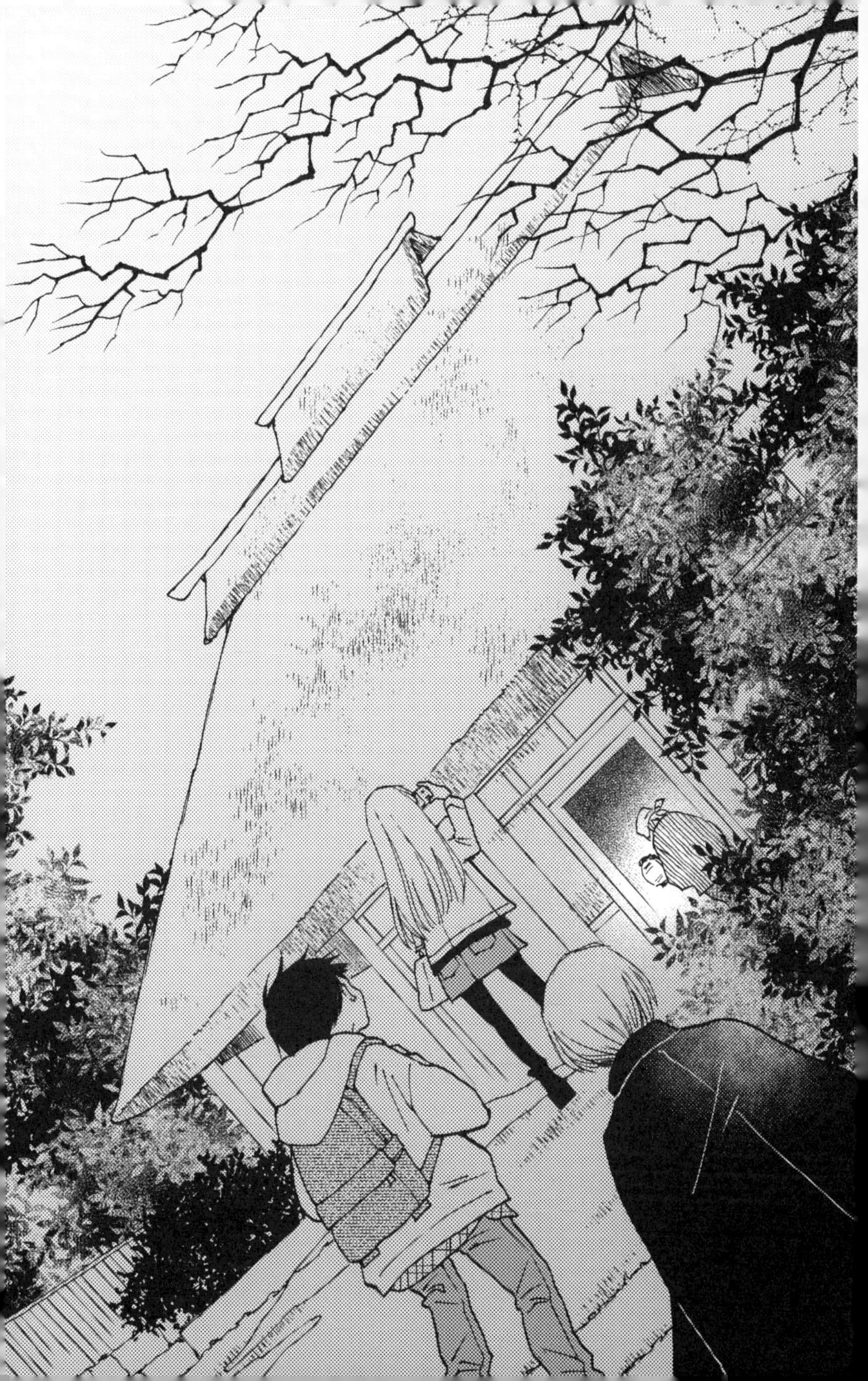

豚汁《とんじる》を口《くち》にした美希《みき》は、思《おも》わず笑顔《えがお》になった。

部屋《へや》に荷物《にもつ》を置《お》いた真実《しんじつ》たちは、囲炉裏《いろり》のある広間《ひろま》でおばあさんが用意《ようい》した食事《しょくじ》を堪能《たんのう》していた。

「とても滋味《じみ》にあふれているね」

真実《しんじつ》もそう言《い》って、舌鼓《したつづみ》を打《う》った。

しかし、おばあさんはひとことも話《はな》さない。

みんなが食《た》べはじめると、奥《おく》の部屋《へや》へとスーッと消《き》えていった。

（子《こ》どもが大好《だいす》きとか言《い》ってたけど……。

なんで、あんなに愛想《あいそ》が悪《わる》いのかな）

健太《けんた》は、ご飯粒《はんつぶ》がツヤツヤとした大《おお》きなおにぎりをほおばりながらそう思《おも》った。

宿屋《やどや》は、強《つよ》い雨風《あめかぜ》でガタガタと戸《と》が震《ふる》え、ほのかなランプの明《あ》かりも、すきま風《かぜ》に吹《ふ》かれて、ときどき消《き》えそうになっていた。

「ねぇ、ここの宿屋《やどや》、本当《ほんとう》にあのおばあさんひとりでやってるのかしら。さすがにたいへんだと思《おも》うけど……」

ごはんを食《た》べ終《お》えた美希《みき》は、小声《こごえ》で話《はな》しはじめた。

「確《たし》かにそうだね」と、真実《しんじつ》も同意《どうい》した。

そのとき、背後《はいご》で声《こえ》がした。

「メシは、うまかったかね？」

健太《けんた》、美希《みき》、真実《しんじつ》は、しゃがれた甲高《かんだか》い声《こえ》に、思《おも》わず振《ふ》り返《かえ》った。

そこには、小柄《こがら》で少《すこ》し腰《こし》が曲《ま》がった、頭《あたま》がツルンと光《ひか》るおじいさんが立《た》っていた。

「……どうも、こんばんは」

美希《みき》が戸惑《とまど》いつつあいさつする。

「いらっしゃい。ワシゃ、この宿《やど》で姉《ねえ》さんと一緒《いっしょ》に働《はたら》いてるもんじゃよ」

「あっ、あのおばあさんの弟《おとうと》？　そうか！　ふたりでこの宿《やど》をやってるんですね」

健太《けんた》は納得《なっとく》して、これまでの不安《ふあん》が少《すこ》しやわらぐのを感《かん》じた。

「うむ、ワシゃ、ここで雑用《ざつよう》を任《まか》されておるんじゃ」

おじいさんは、妙《みょう》に甲高《かんだか》い声《こえ》をしていた。

「食後《しょくご》のデザート代《が》わりに、ワシのおもしろい特技《とくぎ》でも見《み》てみんかね？」

「特技《とくぎ》？」

不思議《ふしぎ》そうにつぶやく健太《けんた》を、おじいさんは急《きゅう》に指《ゆび》さした。

「その坊《ぼう》や、ワシの体《からだ》を浮《う》かせてごらん。ほんの１ミリでいい。体《からだ》を持《も》ち上《あ》げて、少《すこ》しでも床《ゆか》から離《はな》すことができるかな？」

「ぼくですか……あ、はい」

健太《けんた》は立《た》ち上《あ》がって、おじいさんの正面《しょうめん》に向《む》き合《あ》った。

「よし」

腕《うで》まくりした健太《けんた》は、左右《さゆう》の手《て》でおじいさんの腰《こし》をしっかりとつかんだ。

(この感触《かんしょく》なら……そんなに重《おも》くない。いけそうだぞ)

「よーし……イチ、ニーノ、サンッ!!」

掛《か》け声《ごえ》をかけ、精《せい》いっぱい力《ちから》を入《い》れると、健太《けんた》はおじいさんの体《からだ》を持《も》ち上《あ》げた。

５センチほど、おじいさんの両足《りょうあし》が浮《う》いた。

「すごい、すごいのぉ」

おじいさんは笑《わら》って手《て》をたたき、健太《けんた》をほめた。

（こんなおじいさんを浮《う》かせるぐらい、簡単《かんたん》にできるよ）

健太《けんた》は大《おお》げさにほめられたことで、思《おも》わず照《て》れてしまう。

「じゃあ、ここからがワシの特技《とくぎ》じゃ。ワシゃ、今《いま》から体重《たいじゅう》１８０キロになるからの」

「……え？」

「坊《ぼう》や、もう一回持《かいも》ち上《あ》げてみぃ」

おじいさんの言葉《ことば》の意味《いみ》が理解《りかい》できない健太《けんた》だったが、もう一度《いちど》、腰《こし》をつかんでおじいさんの体《からだ》を持《も》ち上《あ》げようとした。

「え？」

今度《こんど》は、いくら力《ちから》を入《い》れて踏《ふ》ん張《ば》っても、おじいさんの体《からだ》は１ミリも浮《う》かない。

「ほら、ほら、もっときばってみぃ」と、あおるおじいさん。

「え、何《なん》で!?　今度《こんど》はぜんぜんビクともしない」

「どうじゃ？　ワシゃ、体重《たいじゅう》を増《ふ》やすって言《い》ったじゃろ」

おじいさんは、ケタケタと甲高《かんだか》い声《こえ》で笑《わら》って、奥《おく》へと去《さ》っていってしまった。

何《なに》が起《お》きたかわからず、ぼう然《ぜん》としていた健太《けんた》だったが、「あ……」と声《こえ》をあげると荷物《にもつ》を置《お》いた部屋《へや》に行《い》き、一冊《いっさつ》のマンガを取《と》って大急《おおいそ》ぎで戻《もど》ってきた。

ボロボロになるほど読《よ》み込《こ》まれた『妖怪探偵《ようかいたんてい》ヨーカイくん』の１巻《かん》だ。

健太《けんた》は興奮《こうふん》気味《ぎみ》にページをめくると、とあるページを真実《しんじつ》と美希《みき》に見《み》せる。

そこに描《えが》かれていたのは、小柄《こがら》で坊主頭《ぼうずあたま》の老人《ろうじん》の姿《すがた》の妖怪《ようかい》、「子《こ》泣《な》きじじい」だった。

「これだよ……。あのおじいさんは、子泣《こな》きじじいだったんだ！やっぱり、ここは妖怪《ようかい》の出《で》る村《むら》なんだよっ」

健太《けんた》は、声《こえ》をひそめながらも、真実《しんじつ》と美希《みき》に必死《ひっし》に訴《うった》えた。

それまでずっと黙《だま》っていた真実《しんじつ》が顔《かお》をあげ、眼鏡《めがね》をクイッとあげると、健太《けんた》を見返《みかえ》した。

「持《も》ち上《あ》げられなかったのは、おじいさんが妖怪《ようかい》だからじゃない。トリックがあるからさ」

「トリック？」

「ああ。あれは物理《ぶつり》を利用《りよう》した、ごく初歩的《しょほてき》なトリックだよ」

「物理《ぶつり》……？」

健太《けんた》は耳慣《みみな》れない言葉《ことば》に首《くび》をかしげた。

「難《むずか》しく考《かんが》えることはない、単純《たんじゅん》なことさ。最初《さいしょ》に健太《けんた》くんがおじいさんを持《も》ち上《あ》げたとき、おじいさんは、健太《けんた》くんの体《からだ》や腕《うで》に、自分《じぶん》から体《からだ》を寄《よ》せて、体《からだ》の重心《じゅうしん》を健太《けんた》くんに近《ちか》づけた。フィギュアスケートや社交《しゃこう》ダンスで、男性《だんせい》が女性《じょせい》を持《も》ち上《あ》げる、リフトという技《わざ》に似《に》ているかもね」

「フィギュアで見《み》たことあるわ。女性《じょせい》は持《も》ち上《あ》げられるとき、タイミングよく男《おとこ》の人《ひと》のほうへ体《からだ》を寄《よ》せるわよね」

「だけど2度目《どめ》のとき、おじいさんは一歩《いっぽ》足《あし》をうしろに引《ひ》いて、健太《けんた》くんの体《からだ》や腕《うで》から、体《からだ》の重心《じゅうしん》を遠《とお》ざけた。どんな力持《ちからも》ちの人《ひと》でも、自分《じぶん》から数《すう》センチでも重心《じゅうしん》が遠《とお》のくと、とたんに持《も》ち上《あ》げられなくなってしまうのさ」

「そんなトリックを使《つか》うなんて、お茶目《ちゃめ》なおじいさん」

美希《みき》が笑《わら》った。

最初《さいしょ》のとき

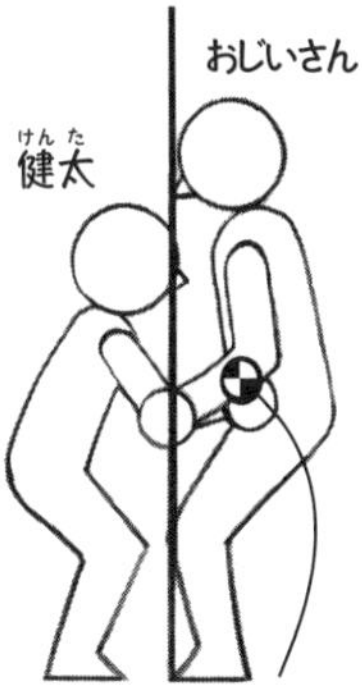

おじいさんの重心《じゅうしん》が
健太《けんた》の近《ちか》くにあるので、
持《も》ち上《あ》げやすい。

2度目《どめ》のとき

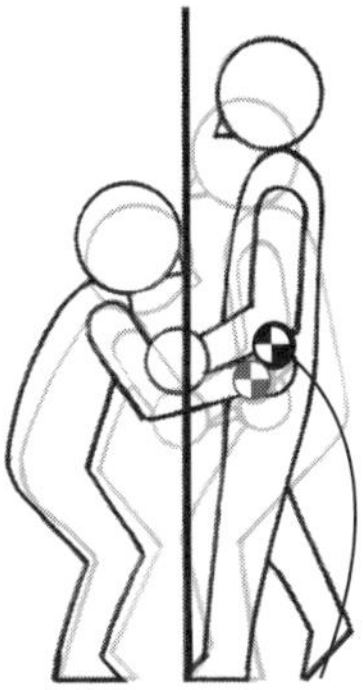

おじいさんの重心《じゅうしん》が
健太《けんた》からほんの少《すこ》し遠《とお》ざかるだけで、
持《も》ち上《あ》げにくくなる。

「なんだ、そうだったのか」

最初《さいしょ》は怖《こわ》がっていた健太《けんた》だったが、トリックがわかると何《なん》だか少《すこ》しガッカリして、マンガを閉《と》じた。


その夜《よる》の、丑三《うしみ》つ時《どき》――。

健太《けんた》は布団《ふとん》を頭《あたま》までかぶって、まだモゾモゾと寝返《ねがえ》りを打《う》っていた。

宿《やど》の外《そと》では、あいかわらず嵐《あらし》が吹《ふ》き荒《あ》れていて、ぼおぉぉぉという風《かぜ》の音《おと》が妖怪《ようかい》の叫《さけ》び声《ごえ》のようにも聞《き》こえてくる。

健太《けんた》は風《かぜ》の音《おと》が怖《こわ》くて、いまだ一睡《いっすい》もできずにいたのだ。

（早《はや》く朝《あさ》になって……。でも、オシッコしたくなってきた。晩《ばん》ごはんのときに、たくさん水《みず》を飲《の》んだからかな。でも……ひとりでトイレに行《い》きたくないよ）

となりの部屋《へや》の美希《みき》は、もうずいぶん前《まえ》に寝《ね》てしまったようだ。

健太《けんた》がとなりの布団《ふとん》を見《み》ると、真実《しんじつ》はナイトキャップをかぶり、アイマスクに、耳栓《みみせん》をしたかっこうで熟睡《じゅくすい》していた。

丑三《うしみ》つ時《どき》
昔《むかし》から、幽霊《ゆうれい》がよく出《で》るとされる時間帯《じかんたい》。午《ご》前《ぜん》2時《じ》から2時半《じはん》ごろ。

（絶対《ぜったい》に起《お》こすな、と言《い》わんばかりの完全装備《かんぜんそうび》だ。うう。もう、ひとりでトイレに行《い》くしかないかぁ……）

健太《けんた》は勇気《ゆうき》をふりしぼって、真《ま》っ暗《くら》な廊下《ろうか》に出《で》た。

宿屋《やどや》全体《ぜんたい》が強風《きょうふう》でガタガタと揺《ゆ》れているようななか、健太《けんた》は、ミシミシと鳴《な》る床《ゆか》を、心細《こころぼそ》い気持《きも》ちでゆっくりと進《すす》んだ。

（トイレはあの奥《おく》だよね。あれ？　台所《だいどころ》のほうに、明《あ》かりがついてる。おばあさんたち、まだ起《お》きているのかな？）

シャコシャカシャコシャカシャコ……。

（変《へん》な音《おと》……。あ、包丁《ほうちょう》を研《と》いでいる音《おと》か）

健太《けんた》が近《ちか》づくと、真《ま》っ白《しろ》な障子《しょうじ》には、包丁《ほうちょう》を研《と》いでいるおばあさんの影《かげ》が映《うつ》っている。中《なか》からおじいさんとおばあさんの話《はな》し声《ごえ》が聞《き》こえてきた。

「……子《こ》が大好《だいす》きで、食《た》べるのをやめられんわい」

「姉《ねえ》さん、今日《きょう》の獲物《えもの》もひとり占《じ》めするつもりじゃなかろうな？」

（えっ？　子《こ》を食《た》べる……子《こ》どもを食《た》べる、ってこと？）

健太《けんた》は、自分《じぶん》の耳《みみ》を疑《うたが》った。

そして、ふと、あることに気《き》づいた。

（何《なに》？　あの影《かげ》？）

なんとおばあさんの影《かげ》の横《よこ》に、首《くび》を縄《なわ》でくくられ、吊《つ》るされてゆらゆら揺《ゆ》れている小《ちい》さな人影《ひとかげ》が映《うつ》っていたのだ。


「**ギャッ!!　ブウボッ！**」

健太《けんた》は口《くち》から飛《と》び出《で》た悲鳴《ひめい》を、必死《ひっし》に手《て》でふさいで抑《おさ》えた。

そして、腰《こし》が抜《ぬ》けそうになりながら、あとずさりして、なんとか部屋《へや》に戻《もど》った。

「起《お》きて！　起《お》きてよ、真実《しんじつ》くん!!」


健太《けんた》は、真実《しんじつ》の体《からだ》を必死《ひっし》に揺《ゆ》らした。

真実《しんじつ》は、いっこうに起《お》きる気配《けはい》がない。

「ねぇ、起《お》きてってば!!」

健太《けんた》は、真実《しんじつ》のアイマスクをつかみ取《と》って外《はず》した。

「……もう、何《なん》だい？　耳《みみ》が痛《いた》いじゃないか。どうしたんだい、健太《けんた》くん」

真実《しんじつ》は、ようやく目《め》を覚《さ》ました。

健太《けんた》は、となりの部屋《へや》で寝《ね》ていた美希《みき》も起《お》こし、声《こえ》をひそめて、ふたりに必死《ひっし》に訴《うった》えた。

「ここの宿屋《やどや》は、妖怪《ようかい》が旅人《たびびと》を殺《ころ》して喰《く》うための宿屋《やどや》だったんだよっ」

健太《けんた》は、震《ふる》える手《て》で『妖怪探偵《ようかいたんてい》ヨーカイくん』の1巻《かん》をリュックから取《と》り出《だ》し、とあるページを開《ひら》いて見《み》せた。

そこには、鬼《おに》のようなツノを生《は》やし、長《なが》い白髪《しらが》を振《ふ》り乱《みだ》しながら、包丁《ほうちょう》で襲《おそ》いかかる老婆《ろうば》が描《えが》かれていた。

「あのおばあさんは、山姥《やまんば》だ。山姥《やまんば》は宿《やど》に旅人《たびびと》をおびき寄《よ》せ、寝《ね》ているあいだに殺《ころ》して食《た》べちゃう妖怪《ようかい》なんだよ」

真実《しんじつ》と美希《みき》は、眠《ねむ》そうにしながらも耳《みみ》を傾《かたむ》けている。

「殺《ころ》した子《こ》どもの死体《したい》を縄《なわ》でぶら下《さ》げていたのを見《み》たんだ。次《つぎ》はぼくらを殺《ころ》すつもりだ」

「子《こ》どもの死体《したい》を……見《み》たの？」

美希《みき》が疑《うたが》わしそうに尋《たず》ねる。

「う、うん。小《ち》さな子《こ》どもの死体《したい》の影《かげ》。本当《ほんとう》だって。さっきのおじいさんだって、やっぱりトリックなんかじゃない。本当《ほんとう》に自分《じぶん》の体重《たいじゅう》を１８０キロにまで増《ふ》やすことができるんだ。それにあの甲高《かんだか》い声《こえ》……つるんとした頭《あたま》……本物《ほんもの》の子泣《こな》きじじいだったんだよっ」

「マンガの読《よ》みすぎ！　あぁ眠《ねむ》たっ」

美希《みき》は、大《おお》きなあくびをする。

「早《はや》くここを出《で》なきゃ、子泣《こな》きじじいに体重《たいじゅう》をかけられて押《お》しつぶされて、山姥《やまんば》に食《た》べられちゃうって！」

「健太《けんた》くん、外《そと》は嵐《あらし》だよ」

「だけど……」

「わかった、健太《けんた》くん。ぼくたちも一緒《いっしょ》に行《い》くから、もう一度《いちど》確《たし》かめてみよう」

健太《けんた》はふたたび先《さき》ほどの台所《だいどころ》に向《む》かった。怖《こわ》いけれど、真実《しんじつ》と美希《みき》が一緒《いっしょ》だと心強《こころづよ》かった。

懐中電灯《かいちゅうでんとう》を手《て》にした真実《しんじつ》が、先頭《せんとう》に立《た》って台所《だいどころ》の引《ひ》き戸《ど》を開《あ》けて、美希《みき》と中《なか》に入《はい》る。

しかし、台所《だいどころ》の明《あ》かりは消《き》え、おばあさんとおじいさんの姿《すがた》もそこにはなかった。

「吊《つ》るされた死体《したい》なんて、どこにもないじゃない」

美希《みき》は振《ふ》り返《かえ》って、台所《だいどころ》の入《い》り口《ぐち》でこわごわと立《た》っている健太《けんた》を見《み》た。

「え……？」

健太《けんた》もおそるおそる、中《なか》に入《はい》ってみた。

美希《みき》の言《い》うとおり、死体《したい》はどこにも見当《みあ》たらなかった。

真実《しんじつ》は、懐中電灯《かいちゅうでんとう》の明《あ》かりを照《て》らし、ガランとした台所《だいどころ》の中《なか》を注意深《ちゅういぶか》く見回《みまわ》した。

すると、床《ゆか》に、コンセントからプラグの抜《ぬ》けたスポットライトが置《お》いてあるのに気《き》がついた。

「ひょっとして……」

真実《しんじつ》は、ぐるっと部屋《へや》の中《なか》を見回《みまわ》して、健太《けんた》に告《つ》げた。

「ナゾは解《と》けたよ」

（え、台所《だいどころ》をちょっと見《み》ただけなのに、何《なに》がわかったんだろう？）

健《けん》太《た》は驚《おどろ》いて、まわりを見《み》渡《わた》した。

影《かげ》は、前《ぜん》ページの絵《え》の右側《みぎがわ》にある障子《しょうじ》に映《うつ》っていたんだ。

解決編《かいけつへん》

「このあたりかな」

真実《しんじつ》は、スポットライトのプラグをコンセントに差《さ》したあと、棚《たな》の上《うえ》に置《お》いた。

「じゃあ健太《けんた》くんと美希《みき》さん、障子《しょうじ》を外《そと》から見《み》てみて」

健太《けんた》と美希《みき》は、台所《だいどころ》を出《で》て、障子《しょうじ》の見《み》える場所《ばしょ》に立《た》った。

「あ！」

障子《しょうじ》には、縄《なわ》で吊《つ》るされた子《こ》どもの影《かげ》が、ゆらゆらと揺《ゆ》れていた。

「今《いま》さっきまで、部屋《へや》に死体《したい》はなかったのに！」

「健太《けんた》くん、その障子《しょうじ》を開《あ》けて台所《だいどころ》の中《なか》を見《み》て」

健太《けんた》が障子《しょうじ》を開《あ》けると、真実《しんじつ》が、縄《なわ》で吊《つ》るされたバケツと大根《だいこん》を指《ゆび》さしていた。

「健太《けんた》くんが見《み》た死体《したい》の正体《しょうたい》は、これだね。これらの影《かげ》が重《かさ》なって、まるで首《くび》を吊《つ》られた子《こ》どものように見《み》えたんだよ」

「え、ぼくが見《み》たのは、バケツと大根《だいこん》の影《かげ》だったの？」

「ああ。バケツは横《よこ》から見《み》ると四角《しかく》い形《かたち》だけど、前《まえ》からだと丸《まる》く見《み》える。このバケツの影《かげ》が頭《あたま》に、大根《だいこん》の影《かげ》が手足《てあし》に見《み》えたんだね。すきま風《かぜ》で縄《なわ》が揺《ゆ》れて、影《かげ》が動《うご》いていたことも、健《けん》太《た》くんが本物《ほんもの》の死体《したい》だと思《おも》った要《よう》因《いん》だったのかもね」

そのときだった。

「おや、まだ起《お》きていたのかい？」

声《こえ》がするほうを真実《しんじつ》たちが見《み》ると、腰《こし》の曲《ま》がったおばあさんが立《た》っていた。

おじいさんは、もう寝《ね》てしまったという。

おばあさんは美希《みき》から今《いま》の騒動《そうどう》を聞《き》いて、

「まさか……山姥《やまんば》と、子泣《こな》きじじい呼《よ》ばわりされるとはね、ククク」

と笑《わら》った。

健太《けんた》は、初《はじ》めておばあさんが笑《わら》っているところを見《み》た。

「あたしゃ、寝《ね》る前《まえ》に包丁《ほうちょう》を研《と》いだり、明日《あした》の準備《じゅんび》をする

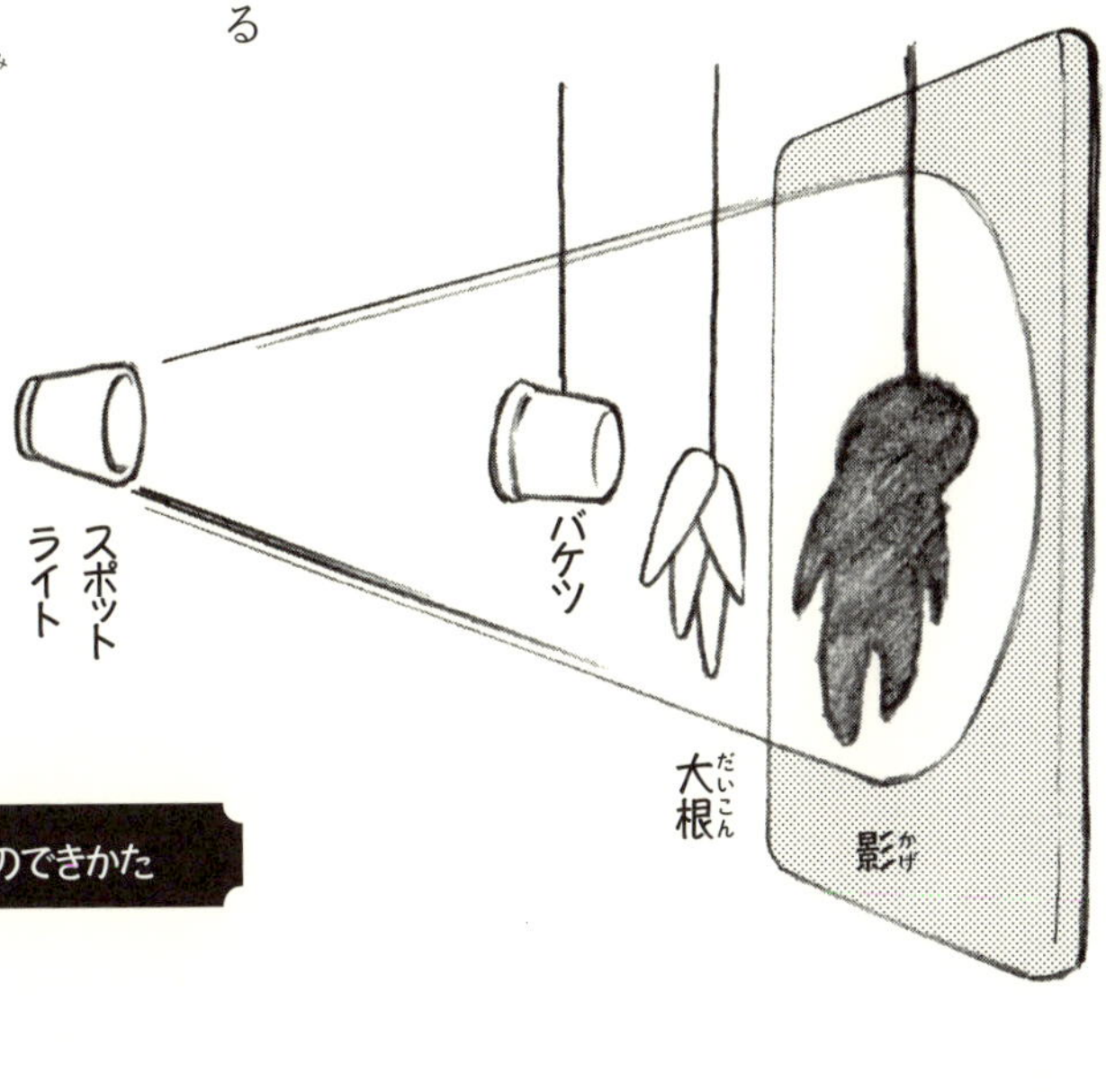

影《かげ》のできかた

のが日課《にっか》なんだよ」

「でも、子《こ》が大好《だいす》きで、食《た》べるのをやめられないって言《い》ってましたよね？」

「……ああ、あれは、『魚の子《さかなのこ》』が大好《だいす》きと言《い》ったんだよ。数の子《かずのこ》、タラコとかの、魚卵《ぎょらん》のことさ。でも医者《いしゃ》に止《と》められててな。じゃあ、おやすみよ」

おばあさんはそう言《い》って、奥《おく》へと消《き》えていった。

「なんだ、数《かず》の子《こ》とかのことだったのか」

「ホント、健太《けんた》くんって、人騒《ひとさわ》がせ」

と、美希《みき》は笑《わら》った。

「ご、ごめん」

健太《けんた》は照《て》れくさそうに、苦笑《にがわら》いした。

しかし、真実《しんじつ》だけは、何《なに》か気《き》がかりなことがあるのか、押《お》し黙《だま》ったままだった。

翌朝《よくあさ》、健太《けんた》たちは、おばあさんにおいしい朝《あさ》ごはんをごちそうになった。

「今日《きょう》は晴《は》れたね。まずは村長《そんちょう》に会《あ》いに行《い》っといで。その先《さき》の道《みち》をずっとまっすぐ行《い》けば、村《むら》に着《つ》くよ」

そう言《い》って、おばあさんはごはんを食《た》べ終《お》わった健《けん》太《た》たちを見送《みおく》ってくれた。

(こんな優《やさ》しいおばあさんのことを、妖怪《ようかい》だと思《おも》うなんて……。ぼくはなんてバカだったんだ。ごめんなさい)

健《けん》太《た》は、心《こころ》の中《なか》でおばあさんに謝《あやま》った。


村《むら》を目指《めざ》して、しばらく山道《やまみち》を進《すす》んでいたときだった。

「あ、車《くるま》の音《おと》だわ」と、美希《みき》がつぶやいた。

健《けん》太《た》が振《ふ》り返《かえ》って見《み》ると、うしろから白《しろ》いワゴン車《しゃ》が、健《けん》太《た》たちのそばまでやってきて停《と》まった。

「矢戸田旅館《やどたりょかん》」と書《か》かれた車《くるま》の運転席《うんてんせき》から、男性《だんせい》が顔《かお》を出《だ》した。

「謎野真実《なぞのしんじつ》くんたちだね、到着《とうちゃく》は今日《きょう》だったのか」

丸眼鏡《まるめがね》をかけた整《ととの》った顔立《かおだ》ちの若《わか》い男性《だんせい》が、ニコリと笑顔《えがお》を見《み》せた。

「ぼくは、キミたちが泊《と》まる予定《よてい》の、矢戸田旅館《やどたりょかん》の者《もの》です」

車《くるま》から降《お》りてきたのは、旅館《りょかん》の若旦那《わかだんな》・矢戸田継男《やどたつぐお》だった。

「え、宿《やど》って……じゃあ、わたしたちが泊《と》まった宿《やど》は？」

美希《みき》は不思議《ふしぎ》に思《おも》い、昨晩泊《さくばんと》まった宿《やど》のことを継男《つぐお》に話《はな》した。

「え、このあたりにウチ以外《いがい》の宿《やど》屋《や》はないはずだよ」

「でも、茅葺《かやぶ》き屋根《やね》で、囲炉裏《いろり》があって、とても大《おお》きな古《ふる》い建物《たてもの》だったんですよ」

美希《みき》はそう言《い》って、デジカメで撮《と》った宿《やど》の写真《しゃしん》を、継男《つぐお》に見《み》せた。

「……どこだろ、ここ。あ、もしかして……でも、そんなこと……」

そう言《い》って継男《つぐお》は、けげんそうな表情《ひょうじょう》をした。

健太《けんた》たちは継男《つぐお》の車《くるま》に乗《の》せてもらい、車道《しゃどう》を5分《ふん》ぐらい移動《いどう》した。

継男《つぐお》が連《つ》れていってくれた場所《ばしょ》には、茅葺《かやぶ》き屋根《やね》の大《おお》きな建物《たてもの》があった。

「キミたちの言《い》ってた宿《やど》って、まさか、ここのこと？」

「え、でも、ちょっと健太《けんた》くん、なんかおかしくない？」

「ホントだ……」

そこに建物《たてもの》はあるが、戸《と》は外《はず》れていて、茅葺《かやぶ》き屋根《やね》には大《おお》きな穴《あな》があき、まるで廃墟《はいきょ》のようになっているのだ。

「どういうこと？　確《たし》かに昨日《きのう》、ここに泊《と》まったのに」

美希《みき》は、廃墟《はいきょ》と化《か》している建物《たてもの》をのぞいた。

ボロボロに破《やぶ》れた障子《しょうじ》。ところどころ穴《あな》があき、地面《じめん》が見《み》える床板《ゆかいた》。朽《く》ちた囲炉裏《いろり》。

穴《あな》のあいた天井《てんじょう》を見上《みあ》げれば、その先《さき》には青空《あおぞら》が見《み》えた。

「でも、間違《まちが》いない。この囲炉裏《いろり》の形《かたち》！　わたし、絶対《ぜったい》ここに泊《と》まったもん！」

「おばあさーん！　おじいさーん！」

大《おお》きな声《こえ》で呼《よ》ぶ健太《けんた》。

「ここは50年前《ねんまえ》まで、仲《なか》のいい姉弟《きょうだい》が宿《やど》をやっていたらしいけど、今《いま》は空《あ》き家《や》だよ」

継男《つぐお》は、健太《けんた》たちに告《つ》げた。

「じゃあ、わたしたちをもてなしてくれた、あのふたりは……なんだったの？」

「やっぱり……妖怪《ようかい》だったのかな」

健太《けんた》はポツリと言《い》う。

健太《けんた》と美希《みき》は、砂《すな》ぼこりの舞《ま》う廃墟《はいきょ》の中《なか》で立《た》ち尽《つ》くした。

だが、真実《しんじつ》だけはひとり、口元《くちもと》に手《て》を当《あ》て、鋭《するど》い視線《しせん》で宿屋《やどや》を見渡《みわた》していた。

I

SCIENCE TRICK DATA FILE

科学《かがく》トリックデータファイル

Q.転《ころ》びにくい立《た》ち方《かた》はあるの?

重心《じゅうしん》のマジック

重心《じゅうしん》とは、物体《ぶったい》の重《おも》さの中《ちゅう》心《しん》にあたる場所《ばしょ》のことです。

人間《にんげん》の重心《じゅうしん》は、腰《こし》のあたりの内側《うちがわ》にあります。重心《じゅうしん》が両《りょう》方《ほう》の足《あし》（または、そのあいだ）からずれると、立《た》っていることができません。

重心《じゅうしん》が足《あし》のあいだにあれば、立《た》てる。

重心《じゅうしん》が足《あし》のあいだからずれると、体勢《たいせい》が崩《くず》れる。

【やってみよう！】

体《からだ》の重心《じゅうしん》をうまく移動《いどう》させることができないと、簡単《かんたん》な動作《どうさ》もできなくなってしまいます。

片足《かたあし》が上《あ》がらない！

片手《かたて》を上《あ》げて壁《かべ》にぴったり体《からだ》をつけてみよう。この状態《じょうたい》で、壁《かべ》と反対側《はんたいがわ》の足《あし》を上《あ》げようとしても上《あ》がらない。片足《かたあし》を上《あ》げるには、重心《じゅうしん》をもう一方《いっぽう》の足《あし》の上《うえ》に移《うつ》す必要《ひつよう》があるが、この姿勢《しせい》では、壁側《かべがわ》の足《あし》の上《うえ》に重心《じゅうしん》を移《うつ》せない。

立《た》ち上《あ》がれない！

椅子《いす》に座《すわ》っている人《ひと》のおでこを指《ゆび》１本《ぽん》で押《お》さえてみよう。座《すわ》っている人《ひと》は、足《あし》の上《うえ》（前《ぜん》方《ぽう》）に重心《じゅうしん》を移動《いどう》できないため、立《た》ち上《あ》がれない。

A.足《あし》を開《ひら》いて立《た》ち、腰《こし》を落《お》として重心《じゅうしん》を低《ひく》くすると安定《あんてい》するよ

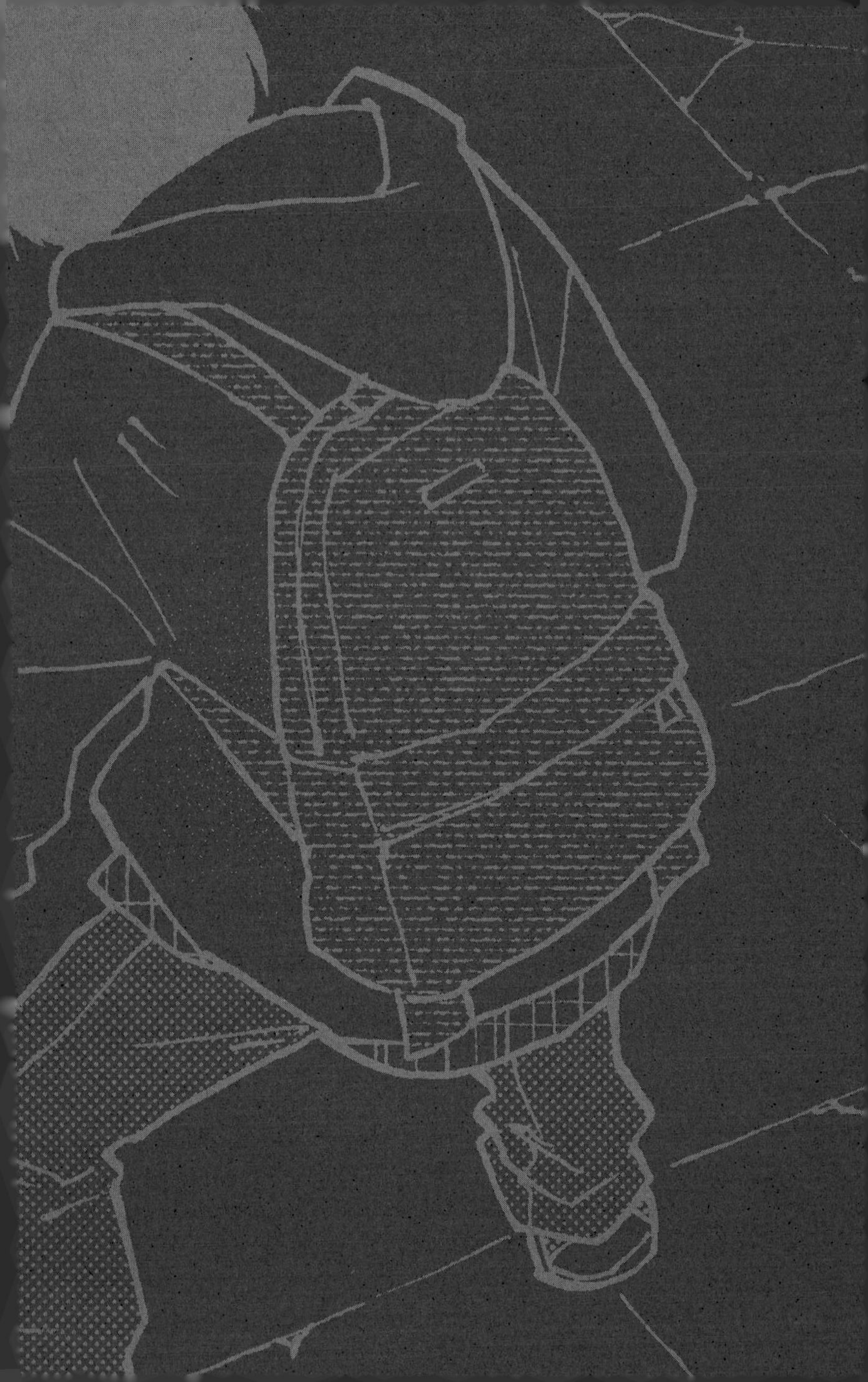

妖魔《ようま》の村《むら》2

死《し》を呼《よ》ぶ影《かげ》喰《く》い

旅館《りょかん》の若旦那《わかだんな》・継男《つぐお》の案内《あんない》で、真実《しんじつ》、健太《けんた》、美希《みき》の3人《にん》は、泊《と》まるはずだった宿《やど》、「矢戸《やど》田旅館《たりょかん》」にようやくたどり着《つ》いた。

「ここがウチの旅館《りょかん》。山風村《やまかぜむら》で宿屋《やどや》といえば、ここ一軒《いっけん》だけなんだ」

継男《つぐお》は言《い》い、「さ、どうぞ入《はい》って」と、真実《しんじつ》たちを旅館《りょかん》の中《なか》に招《まね》き入《い》れる。

そこで真実《しんじつ》たちを迎《むか》えたのは、和服姿《わふくすがた》の中年女性《ちゅうねんじょせい》だった。

「いらっしゃいませ」

女性《じょせい》は真実《しんじつ》たちにあいさつする。

「こちら、ぼくの母《はは》で、この旅館《りょかん》の女将《おかみ》の――」

「矢戸田良子《やどたよしこ》と申《もう》します」

女将《おかみ》は、紹介《しょうかい》しようとした継男《つぐお》の言葉《ことば》をさえぎって言《い》った。

「あなたが謎野真実《なぞのしんじつ》さん？」

「あ、はい……」

「村長《そんちょう》からお話《はなし》は聞《き》いています。昨日《きのう》お見《み》えにならなかったので心配《しんぱい》しておりましたのよ。予定《よてい》が変《か》わったのなら、ご連絡《れんらく》してくださらないと……」

丁寧《ていねい》だが、トゲのある口調《くちょう》で女将《おかみ》は真実《しんじつ》に言《い》う。

「お客様《きゃくさま》にそんな言《い》い方《かた》……」

継男《つぐお》は言《い》いかけるが、女将《おかみ》にギロリとにらまれ、口《くち》をつぐんだ。

「こういうことはきっちりしておかないと！　継男《つぐお》、あなたはこの旅館《りょかん》のだいじな跡取《あとと》りなんですから、ちゃんと心得《こころえ》ておきなさい」

「わかってるよ、お母《かあ》さん……」

「お母《かあ》さんじゃなくて『女将《おかみ》』でしょ！」

女将《おかみ》にピシャリと言《い》われ、継男《つぐお》はシュンとしてうつむく。

そこへ、「いや～、どうもどうも。はじめまして」と言《い》いながら、人《ひと》のよさそうなハゲ頭《あたま》の中年男性《ちゅうねんだんせい》がやってきた。

「どうも。わたしが村長《そんちょう》の孫長介《そんちょうすけ》です」

「村長《そんちょう》さん!?」

健太《けんた》と美希《みき》は、同時《どうじ》に声《こえ》をあげる。

女将《おかみ》の幼《おさな》なじみだという村長《そんちょう》が、今回《こんかい》の依頼人《いらいにん》だった。美希《みき》が立《た》ち上《あ》げたホームページを見《み》て、真実《しんじつ》に妖怪騒動《ようかいそうどう》の解決《かいけつ》を頼《たの》んできたのである。

「謎野《なぞの》くん、ご友人《ゆうじん》のみなさん、山風村《やまかぜむら》へようこそ。こんな何《なに》もない村《むら》に、よく来《き》てくれたねぇ」

村長《そんちょう》によると、山風村《やまかぜむら》にはこれといった観光名所《かんこうめいしょ》もなく、訪《おとず》れる人《ひと》もめったにいない。村《むら》に一軒《いっけん》しかない旅館《りょかん》の宿泊客《しゅくはくきゃく》も、釣《つ》りや登山《とざん》を目的《もくてき》に、たまにやってくる常連客《じょうれんきゃく》がほとんどなのだという。

「そのうえ、こんな妖怪騒動《ようかいそうどう》まで起《お》きてしまって、村《むら》の評判《ひょうばん》は下《さ》がる一方《いっぽう》。もう、どうしたらよいのやら……」

村長《そんちょう》はそう言《い》って、ハゲ頭《あたま》の汗《あせ》をハンカチでぬぐった。

「ほんと、困《こま》っちゃうわよね。村長《そんちょう》のあなたに、もう少《すこ》ししっかりしていただかないと！」

女将《おかみ》は、村長《そんちょう》にも文句《もんく》を言《い》う。すると継男《つぐお》は、真実《しんじつ》たちに小声《こごえ》で告《つ》げた。

「お母《かあ》さん、ああ言《い》ってるけど、内心《ないしん》けっこう喜《よろこ》んでるんだよ。妖怪騒動《ようかいそうどう》のおかげで、今《いま》は都会《とかい》からお客様《きゃくさま》が来《く》るようになって、ウチはそれなりに繁盛《はんじょう》してるから。まあ、そろいもそろって風変《ふうが》わりなお客様《きゃくさま》なんだけど……」

「……風変《ふうが》わりなお客様《きゃくさま》？」

健太《けんた》は問《と》い返《かえ》し、継男《つぐお》の視線《しせん》の先《さき》を見《み》る。そこは旅館《りょかん》のロビーで、数人《すうにん》の客《きゃく》の姿《すがた》があった。

「あっ！　ねえ、あれ、ハイテンション・アガルじゃない？」

その客《きゃく》の中《なか》のひとり、ポップで派手《はで》な服《ふく》を着《き》た茶髪《ちゃぱつ》の若《わか》い男性《だんせい》を、美希《みき》が指《ゆび》さす。

「わあ、ホントだ～！」

健太《けんた》も、思《おも》わず声《こえ》をあげた。

ハイテンション・アガルは、かつて動画《どうが》サイト「I《アイ》 Tube《チューブ》」で絶大《ぜつだい》な人気《にんき》をほこっていたアイチューバーである。

しかし、モラルを欠《か》いたでっちあげ動画《どうが》を撮《と》って大炎上《だいえんじょう》して以来《いらい》、人気《にんき》が急落《きゅうらく》し、落《お》ち目《め》になっていた。

「空《そら》からありえないものが降《ふ》る『ファフロツキーズ現象《げんしょう》』を自作自演《じさくじえん》して、ビルの屋上《おくじょう》から魚《さかな》を、しかも冷凍《れいとう》の魚《さかな》をバラまくなんて……最低《さいてい》よね」

ジャーナリスト志望《しぼう》の美希《みき》は、アガルのでっちあげ動画《どうが》に、いきどおりを感《かん》じていた。

「でも、ハイテンション・アガルがどうして山風村《やまかぜむら》に？」

首《くび》をかしげる健太《けんた》に、「決《き》まってるじゃない」と、美希《みき》。

「この村《むら》に出没《しゅつぼつ》する妖怪《ようかい》を動画《どうが》に撮《と》って、また人気者《にんきもの》の座《ざ》を取《と》り戻《もど》すつもりなのよ！」

村長《そんちょう》から詳《くわ》しい話《はなし》を聞《き》くため、真実《しんじつ》たちはロビーの奥《おく》にある応接室《おうせつしつ》へと移動《いどう》した。

「どうぞこれ、召《め》しあがってください」

ファフロツキーズ現象《げんしょう》
小魚《こざかな》やオタマジャクシなど、空《そら》から降《ふ》るはずのないものが落《お》ちてくる現象《げんしょう》。２００９年《ねん》には、日本《にほん》の各地《かくち》でオタマジャクシが空《そら》から降《ふ》る現象《げんしょう》が起《お》き、話題《わだい》になった。鳥《とり》がのみ込《こ》んだものを空中《くうちゅう》で吐《は》き出《だ》したという説《せつ》もあるが、原因《げんいん》はわかっていない。

実家《じっか》がせんべい屋《や》という村長《そんちょう》は、村《むら》おこしのためにつくった「村長《そんちょう》せんべい」を真実《しんじつ》たちに差《さ》し出《だ》す。

「……それで？　この村《むら》は今《いま》、どういった状況《じょうきょう》なんですか？」

真実《しんじつ》が村長《そんちょう》に尋《たず》ねる。

「どうもこうもないよ。雪女《ゆきおんな》にはじまって、妖怪《ようかい》を目撃《もくげき》したという人《ひと》が次々《つぎつぎ》と現《あらわ》れて、ここはもう妖怪村《ようかいむら》だ！」

村長《そんちょう》は嘆《なげ》き、真実《しんじつ》の手《て》を両手《りょうて》で握《にぎ》りしめた。

「謎野《なぞの》くん、お願《ねが》いします！　キミだけが頼《たよ》りなんだ。謎野《なぞの》くん、頼《たの》んだよぉ……」

「えっ、謎野《なぞの》くんって……もしかしてキミ、名探偵《めいたんてい》の謎野真実《なぞのしんじつ》？」

そのとき、真実《しんじつ》の耳元《みみもと》で突然《とつぜん》、声《こえ》がした。見《み》ると、いつの間《ま》にかハイテンション・アガルがそばに来《き》て、真実《しんじつ》の顔《かお》をのぞき込《こ》んでいる。

「ねね、よかったら今度《こんど》、ボクの動画《どうが》に出演《しゅつえん》しない～？」

「興味《きょうみ》ありません」

真実《しんじつ》はそう言《い》ってソッポを向《む》くが、アガルはまわり込《こ》んでさらに顔《かお》を近《ちか》づけてくる。

「いいじゃん、いいじゃん。キミを人気者《にんきもの》にしてあげるヨ～！　なんだったら謝礼《しゃれい》も出《だ》すし、ね？　ね？」

「ちょっと、いいかげんにしなさいよ！」

美希《みき》は仁王立《におうだ》ちになり、アガルをにらみつけた。

「アンタの動画《どうが》、ほとんどがでっちあげじゃない！　マネージャーとして、そんな動画《どうが》にウチの謎野《なぞの》を出演《しゅつえん》させるワケにはいかないわ！」

美希《みき》の剣幕《けんまく》に気《け》おされて、アガルはしぶしぶ部屋《へや》から出《で》ていった。

村長《そんちょう》の長《なが》い話《はなし》を聞《き》き続《つづ》けて小一時間《こいちじかん》も経《た》ったころ、急《きゅう》にロビーが騒《さわ》がしくなった。

真実《しんじつ》たちがようすを見《み》に行《い》くと、継男《つぐお》が必死《ひっし》に客《きゃく》をなだめている姿《すがた》が見《み》える。

騒《さわ》いでいるのは、山風村《やまかぜむら》で釣《つ》りをするために泊《と》まっていた常連客《じょうれんきゃく》だった。

「お客様《きゃくさま》、落《お》ちついてください……」

「これ以上《いじょう》、こんな村《むら》にいられるか！　オレはひょうたん淵《ふち》の洞窟《どうくつ》で、妖怪《ようかい》に影《かげ》を……影《かげ》を喰《く》われちまったんだぞ!!」

「妖怪《ようかい》!?」

「影《かげ》を喰《く》われた!?」

健太《けんた》と美希《みき》は、思《おも》わず身《み》をのりだす。

「ねね、それどういうこと!?　詳《くわ》しく聞《き》かせてヨ〜！」

アガルも騒《さわ》ぎを聞《き》きつけてやってきて、興味津々《きょうみしんしん》に釣《つ》り人《びと》にカメラを向《む》ける。

「その妖怪《ようかい》は……牛鬼《うしおに》ですわ」

一同《いちどう》の背後《はいご》から声《こえ》が聞《き》こえた。

振《ふ》り返《かえ》った健太《けんた》は思《おも》わず、

「うわあああっ！」

と叫《さけ》んで飛《と》びのく。

目《め》の前《まえ》に、2本《ほん》のツノを生《は》やした不気味《ぶきみ》な影《かげ》が迫《せま》っていたのだった。

しかしよく見《み》ると、影《かげ》の主《ぬし》は、2本《ほん》のツノがついたベレー帽《ぼう》をかぶった、和服姿《わふくすがた》の女性《じょせい》だった。

「あっ、恐井恐子先生《こわいきょうこせんせい》」と、女性《じょせい》の姿《すがた》を見《み》て継男《つぐお》が言《い》う。

「えっ？　あの恐井先生《こわいせんせい》⁉」

その名《な》を聞《き》いて、おびえていた健太《けんた》は一転《いってん》、笑顔《えがお》になる。

「先生《せんせい》のことは、よく知《し》っています！　ぼく、大《だい》ファンなんです！　牛鬼《うしおに》って、先生《せんせい》の作品《さくひん》の『妖怪探偵《ようかいたんてい》ヨーカイくん』の2巻《かん》12ページに初登場《はつとうじょう》するやつですよね？」

健太《けんた》はマンガの2巻《かん》をリュックから取《と》り出《だ》すと、「ほら、あった！」とページを開《ひら》いて得意《とくい》げに示《しめ》す。

そこには、とびっきり恐《おそ》ろしげな牛鬼《うしおに》の姿《すがた》が描《えが》かれ、次《つぎ》のような解説《かいせつ》が書《か》かれていた。

《牛鬼《うしおに》は、顔《かお》は牛《うし》で体《からだ》はクモという姿《すがた》の恐《おそ》ろしい妖怪《ようかい》。人《ひと》の影《かげ》を喰《く》らい、影《かげ》を喰《く》われた人《ひと》は必《かなら》ず死《し》ぬ》

「必《かなら》ず死《し》ぬ⁉」

マンガをのぞき込《こ》んだ釣《つ》り人《びと》は、がく然《ぜん》とした。そして、恐井《こわい》に、すがるようなまなざしを向《む》ける。

「これ、本当《ほんとう》なんですか⁉　何《なに》か、何《なに》か助《たす》かる方法《ほうほう》は⁉」

そんな釣《つ》り人《びと》に、恐井《こわい》は淡々《たんたん》とした口調《くちょう》で告《つ》げた。

「牛鬼《うしおに》に……遭遇《そうぐう》したとき、『石《いし》は流《なが》れる』『木《こ》の葉《は》は沈《しず》む』など、本当《ほんとう》のことの逆《ぎゃく》を言《い》えば、助《たす》かる……。でも、影《かげ》を取《と》られたあとじゃ、何《なに》もできない……。死《し》を待《ま》つだけよ！」

「死《し》……⁉」

釣《つ》り人《びと》は、真《ま》っ青《さお》になる。

「お……お客様《きゃくさま》！　だいじょうぶですか!?」

その場《ば》にバッタリ倒《たお》れてしまった釣《つ》り人《びと》を継男《つぐお》は和室《わしつ》に運《はこ》び、そこで寝《ね》かせて介抱《かいほう》しはじめた。

ようすを見守《みまも》る真実《しんじつ》たちの横《よこ》で、村長《そんちょう》がオロオロしながら、ひとりごとをつぶやく。

「また妖怪《ようかい》が現《あらわ》れた。……今度《こんど》は牛鬼《うしおに》？

どうしよう？　どうしよう？

この村《むら》はどうなってしまうんだ!?」


「この村《むら》は呪《のろ》われている！」

そのとき、一同《いちどう》の背後《はいご》でまたべつの声《こえ》がした。

立《た》っていたのは、紫色《むらさきいろ》の袈裟《けさ》を着《き》た男性《だんせい》。

僧侶《そうりょ》のような姿《すがた》をしているが、筋骨隆々《きんこつりゅうりゅう》で、テカテカに脂《あぶら》ぎった顔《かお》をしている。

「の……呪《のろ》われている⁉　いったいどうすればいいんですか⁉」

村長《そんちょう》は、ワラをもすがる思《おも》いで男性《だんせい》に尋《たず》ねた。

「安心《あんしん》せい。わたしが念《ねん》を込《こ》めたこのおふだを肌身離《はだみはな》さず持《も》ち歩《ある》いていれば、呪《のろ》いから逃《のが》れられる」

男性《だんせい》はそう言《い》って、ふところからおふだを取《と》り出《だ》す。

「本来《ほんらい》なら10万円《まんえん》と言《い》いたいところだが、村長《そんちょう》はわたしと同《おな》じヘアスタイルをした仲間《なかま》だ。特別価格《とくべつかかく》、１万円《まんえん》にまけて進《しん》ぜよう」

おふだには、「安心《あんしん》」と書《か》かれていた。

「あの人《ひと》、どっかで見《み》たことあるわ」

男性《だんせい》を横目《よこめ》で見《み》ながら、美希《みき》が小声《こごえ》でつぶやく。

「あ～、わかった。完全寺満夫《かんぜんじみつお》よ！」

「……完全寺満夫《かんぜんじみつお》？」と、問《と》い返《かえ》す健太《けんた》。

「自称《じしょう》・霊能者《れいのうしゃ》。オカルト騒動《そうどう》が起《お》きた場所《ばしょ》には必《かなら》ず現《あらわ》れて、おふだを売《う》りつけるってウワサなの。趣味《しゅみ》は筋《きん》トレ。好物《こうぶつ》はステーキと焼《や》き肉《にく》」

「うわ～、それであんなにムキムキなんだ……」

いかにもあやしげな完全寺《かんぜんじ》だが、村長《そんちょう》はおふだを買《か》う気満々《きまんまん》で財布《さいふ》を出《だ》しかける。

「待《ま》ってください」

そのとき、真実《しんじつ》がふたりのあいだに割《わ》って入《はい》った。

「妖怪《ようかい》なんてこの世《よ》に存在《そんざい》しません！」

「な……何《なん》ですって⁉」

妖怪《ようかい》はいると固《かた》く信《しん》じる恐井《こわい》が、ワナワナと震《ふる》えた。

「この世《よ》に科学《かがく》で解《と》けないナゾはない。妖怪《ようかい》・牛鬼《うしおに》のナゾは、ぼくが科学《かがく》の力《ちから》で解《と》き明《あ》かしてみせます」

「そこまで言《い》うのなら……」

継男《つぐお》は、地図《ちず》を描《か》いて真実《しんじつ》に渡《わた》す。

「ひょうたん淵《ふち》への地図《ちず》だよ。あんまり無理《むり》はしてほしくないけど……。お客様《きゃくさま》が牛鬼《うしおに》を見《み》たとおっしゃっている洞窟《どうくつ》は、この近《ちか》くにある」

「ありがとうございます」

真実《しんじつ》は継男《つぐお》から地図《ちず》を受《う》け取《と》る。

「キタキタキタ、おもしろくなってキタ～～！」

ハンディーカメラを手《て》にしたアガルは、そう言《い》ってニヤリとほくそ笑《え》んだ。

真実《しんじつ》、美希《みき》、健太《けんた》の３人《にん》は、地図《ちず》に描《えが》かれた洞窟《どうくつ》を目指《めざ》し、山道《やまみち》を歩《ある》きはじめた。

「どうしたの、健太《けんた》くん？　もしかして、もうビビった？」

何度《なんど》もうしろを振《ふ》り返《かえ》り、キョロキョロとあたりに視線《しせん》を走《はし》らせてばかりいる健太《けんた》を見《み》て、美希《みき》がけげんそうに尋《たず》ねる。

「誰《だれ》かに見《み》られているような気《き》がするんだ。……ねえ、美希《みき》ちゃんも何《なに》か感《かん》じない？」

「べつに。気《き》のせいなんじゃない？」

美希《みき》は取《と》り合《あ》わず、スタスタと歩《ある》いていく。

そのとき、近《ちか》くの藪《やぶ》でガサリと音《おと》がした。

(やっぱり誰《だれ》かいる！)

健《けん》太《た》は追跡者《ついせきしゃ》の正体《しょうたい》を突《つ》き止《と》めようとしたが――。


「うわあああああっ！」


踏《ふ》み出《だ》した瞬間《しゅんかん》、ツルッと足《あし》を滑《すべ》らせ、ズルズルと崖《がけ》を滑《すべ》り落《お》ちていく。

「健《けん》太《た》くん!!」

真実《しんじつ》と美希《みき》は、同時《どうじ》に叫《さけ》んだ。

「どうしよう？　健《けん》太《た》くん、かなり下《した》のほうまで落《お》ちちゃったみたい……」

「健《けん》太《た》くん、だいじょうぶかい？」

崖《がけ》の下《した》を見下《みお》ろし、真実《しんじつ》は呼《よ》びかけた。

少《すこ》し間《ま》があって、クモの巣《す》だらけになった健《けん》太《た》が崖下《がけした》の藪《やぶ》から顔《かお》を出《だ》した。

「だいじょうぶだよ〜」

どうやら、けがはなかったようで、真実《しんじつ》と美希《みき》はホッと胸《むね》をなでおろした。真実《しんじつ》が地図《ちず》で確認《かくにん》すると、健太《けんた》がいる崖《がけ》の下《した》は、３人《にん》が向《む》かおうとしているひょうたん淵《ふち》への近道《ちかみち》であることがわかる。

「だったら、ふたりも崖《がけ》を滑《すべ》っておいでよ～！」

健太《けんた》は崖《がけ》の下《した》から真実《しんじつ》と美希《みき》に呼《よ》びかけた。

「ええ～!?　服《ふく》が汚《よご》れるからイヤよ」

「ぼくも遠慮《えんりょ》しとく」

美希《みき》と真実《しんじつ》はあっさりと断《ことわ》り、ふたりはまわり道《みち》をして健太《けんた》のいる場所《ばしょ》へ向《む》かうことになった。

崖《がけ》の下《した》、健太《けんた》があたりのようすをうかがっていると、すぐ先《さき》に透明《とうめい》な水《みず》をたたえた淵《ふち》があることに気《き》づいた。

「うわー、きれい！」

淵《ふち》に駆《か》け寄《よ》った健太《けんた》は、その美《うつく》しさに思《おも》わず息《いき》をのんだ。

青々《あおあお》と澄《す》んだ水《みず》の底《そこ》には、魚《さかな》が泳《およ》ぐ姿《すがた》も見《み》える。

(村長《そんちょう》さんは何《なに》もない村《むら》って言《い》ってたけど……山風村《やまかぜむら》には、こんなに豊《ゆた》かな自然《しぜん》があるんだな～)

淵《ふち》の近《ちか》くには、洞窟《どうくつ》があった。

洞窟《どうくつ》の入《い》り口《ぐち》には「お食事処《しょくじどころ》」と書《か》かれた看板《かんばん》がかかっている。

「お食事《しょくじ》……何《なん》て読《よ》むんだろう?」

漢字《かんじ》の読《よ》みかたはわからないが、食事《しょくじ》ができるお店《みせ》だろうと健太《けんた》は思《おも》った。

「この前《まえ》、テレビでやってた洞窟《どうくつ》レストラン的《てき》なものかな?」

そのとき、おなかの虫《むし》がグーキュルルと鳴《な》る。

健太《けんた》は魅入《みい》られたように、フラフラと洞窟《どうくつ》の中《なか》へ足《あし》を踏《ふ》み入《い》れた。


中《なか》に入《はい》ると、洞窟内《どうくつない》はガランとしていた。

天井《てんじょう》にたくさんの照明《しょうめい》が取《と》り付《つ》けられている以外《いがい》、何《なに》もない。

「テーブルも椅子《いす》もないなんて……お店《みせ》、つぶれちゃったのかな?」

――そのときだった。

「ぐははは……」

洞窟《どうくつ》の奥《おく》のほうから、不気味《ぶきみ》な笑《わら》い声《ごえ》がかすかに聞《き》こえてきた。

（え……今《いま》のは何《なに》？　……誰《だれ》かいるのかな？）

健太《けんた》は、おそるおそる洞窟《どうくつ》の奥《おく》へと歩《ある》いていく。

すると――。

「えっ？」

健太《けんた》は、ギョッとして足《あし》を止《と》めた。

洞窟《どうくつ》の奥《おく》の暗《くら》がりの中《なか》、真《ま》っ赤《か》に光《ひか》るふたつの目《め》がこちらを見《み》つめていたのだ。

「ぎゃっ、うわあああっ!!」


逃《に》げようとしたが足《あし》がもつれ、健太《けんた》はその場《ば》でしりもちをつく。

その視界《しかい》に、ボーッと、ひとつのシルエットが浮《う》かび上《あ》がった。

それは、赤《あか》い目《め》を持《も》つナゾの生《い》き物《もの》のシルエット――。

「こ、こ、こ、これって……もしかして……」

「牛鬼《うしおに》」という2文字《もじ》が健太《けんた》の頭《あたま》に浮《う》かぶ。

ボンヤリとした輪郭《りんかく》しか見《み》えないが、目《め》の前《まえ》にいる生《い》き物《もの》は、牛《うし》ぐらいの大《おお》きさで、鬼《おに》のような2本《ほん》のツノを生《は》やしていた。

「……ど、どうしよう!?　影《かげ》を喰《く》われたら、ぼく、死《し》んじゃう!」

健太《けんた》は、ガタガタと震《ふる》えだした。

「お……お願《ねが》い、影《かげ》だけは取《と》らないで!!」

腰《こし》が砕《くだ》けそうになりながらも、健太《けんた》は必死《ひっし》で立《た》ち上《あ》がり、振《ふ》り返《かえ》って自分《じぶん》の足元《あしもと》を見《み》る。

そこには、長《なが》い影法師《かげぼうし》が伸《の》びていた。

「……よかった、まだある」

しかし、洞窟《どうくつ》の奥《おく》を見《み》ると、ふたつの赤《あか》い目《め》は、今《いま》にも影《かげ》を取《と》って喰《く》いそうなようすで健《けん》太《た》をにらみつけていた。

(お……落《お》ちつけ!　こんなときはどうするんだっけ……?)

パニックになった頭《あたま》の中《なか》で、必死《ひっし》に思《おも》いをめぐらせる健太《けんた》。

(……そうだ!　牛鬼《うしおに》に遭遇《そうぐう》したときは、本当《ほんとう》のことの逆《ぎゃく》を言《い》えば助《たす》かるって、恐井先生《こわいせんせい》が言《い》ってた!)

健太《けんた》は、あわてて本当《ほんとう》のことの逆《ぎゃく》を言《い》おうとしたが——。

「ええと、ええと……何《なん》だっけ？　……こ、木《こ》の葉《は》は流《なが》れる！　石《いし》は沈《しず》む！」

——あせっていたので、思《おも》わず本当《ほんとう》のことを言《い》ってしまったのだった。


「馬《ば》鹿《か》メ!!」


次《つぎ》の瞬間《しゅんかん》、地割《じわ》れのような牛鬼《うしおに》の高笑《たかわら》いが響《ひび》き、あたりは真《ま》っ暗《くら》になった。

健太《けんた》は、恐《おそ》ろしさのあまり声《こえ》も出《で》なくなる。

(真実《しんじつ》くん……美希《みき》ちゃん……助《たす》けて!!)

心《こころ》の中《なか》で真実《しんじつ》と美希《みき》に呼《よ》びかける健太《けんた》。

——と、次《つぎ》の瞬間《しゅんかん》、あたりはふたたび明《あか》るくなった。

「……はあ、助《たす》かったぁ」

しかし、ホッとしたのもつかの間《ま》。自分《じぶん》の足元《あしもと》に目《め》をやり、健太《けんた》は崖《がけ》から突《つ》き落《お》とされたような衝撃《しょうげき》を覚《おぼ》える。

「か、影《かげ》がない⁉」

さっきまで長《なが》く伸《の》びていた健太《けんた》の影法師《かげぼうし》は、あとかたもなく消《き》えていたのだった。

「影《かげ》……ヲ……喰《く》ッタ‼」

牛鬼《うしおに》は健太《けんた》に告《つ》げ、ふたたび高笑《たかわら》いする。

「そんな……イヤだ！　ぼくは……ぼくは……うわああああああっ‼」

健太《けんた》の叫《さけ》び声《ごえ》が洞窟《どうくつ》に響《ひび》き渡《わた》った。

ころげるように洞窟《どうくつ》から飛《と》びだした健太《けんた》は、前方《ぜんぽう》からやってくる真実《しんじつ》と美希《みき》に気《き》づいた。

「健太《けんた》くん、どうしたのよ、泣《な》きそうな顔《かお》して」

「真実《しんじつ》くん……美希《みき》ちゃん……。ぼく、もうダメ……死《し》ぬんだあああっ‼」

健太《けんた》はその場《ば》にひざから崩《くず》れ落《お》ちた。

「ブタの貯金箱《ちょきんばこ》にある382円《えん》は、真実《しんじつ》くんにあげるね。それと、『妖怪探偵《ようかいたんてい》ヨーカイくん』は美希《みき》ちゃんに……。ぼくの宝物《たからもの》だから、だいじにしてね」

「ちょっと健太《けんた》くん、落《お》ちつきなさいよ」

「ちゃんと順序立《じゅんじょだ》てて話《はなし》をしてくれないかな」

真実《しんじつ》に促《うなが》された健太《けんた》は、牛鬼《うしおに》に遭遇《そうぐう》し、影《かげ》を喰《く》われた話《はなし》をふたりにする。

「洞窟《どうくつ》に入《はい》ったとき、確《たし》かに影《かげ》はあったんだ。それが、一瞬《いっしゅん》真《ま》っ暗《くら》になって、また明《あか》るくなったら、影《かげ》が消《き》えてて……」

「……なるほど。洞窟《どうくつ》は一瞬《いっしゅん》、暗《くら》くなり、また明《あか》るくなったんだね？」

真実《しんじつ》はニヤリとし、眼鏡《めがね》をクイッとあげる。

「ぼくの仮説《かせつ》が正《ただ》しいかどうかを検証《けんしょう》するために、洞窟《どうくつ》へ入《はい》ってみよう」

「ええ～？」

先《さき》ほどの恐怖《きょうふ》を思《おも》い出《だ》し、ためらう健太《けんた》。だが、真実《しんじつ》は先《さき》に立《た》って歩《ある》きだしている。

健太《けんた》は、しぶしぶ美希《みき》とともに、そのあとを追《お》った。

牛鬼《うしおに》のいる洞窟《どうくつ》に足《あし》を踏《ふ》み入《い》れた真実《しんじつ》、美希《みき》、健太《けんた》。

洞窟《どうくつ》を入《はい》ってすぐ、真実《しんじつ》は天井《てんじょう》を見上《みあ》げる。

そこには、大《おお》きな照明《しょうめい》１個《こ》と、ぐるっと輪《わ》を描《えが》くように小《ちい》さな照明《しょうめい》10個《こ》が取《と》り付《つ》けられていた。

「なるほど、思《おも》ったとおりだ」

それを見《み》て、真実《しんじつ》はつぶやく。

「影《かげ》を喰《く》われるなんてありえない。これは、牛鬼《うしおに》を装《よそお》った犯人《はんにん》のしわざさ。犯人《はんにん》はあるトリックを使《つか》って、影《かげ》を消《け》したんだ」

「……トリック？」

健太《けんた》がけげんそうな顔《かお》で問《と》い返《かえ》す。

「ヒントは影《かげ》を生《う》む『光《ひかり》』――。影《かげ》がどういうときにできるかを考《かんが》えてごらん」

天井《てんじょう》にたくさん照明《しょうめい》があったのは、何《なん》のためだろう？

解《かい》決《けつ》編《へん》

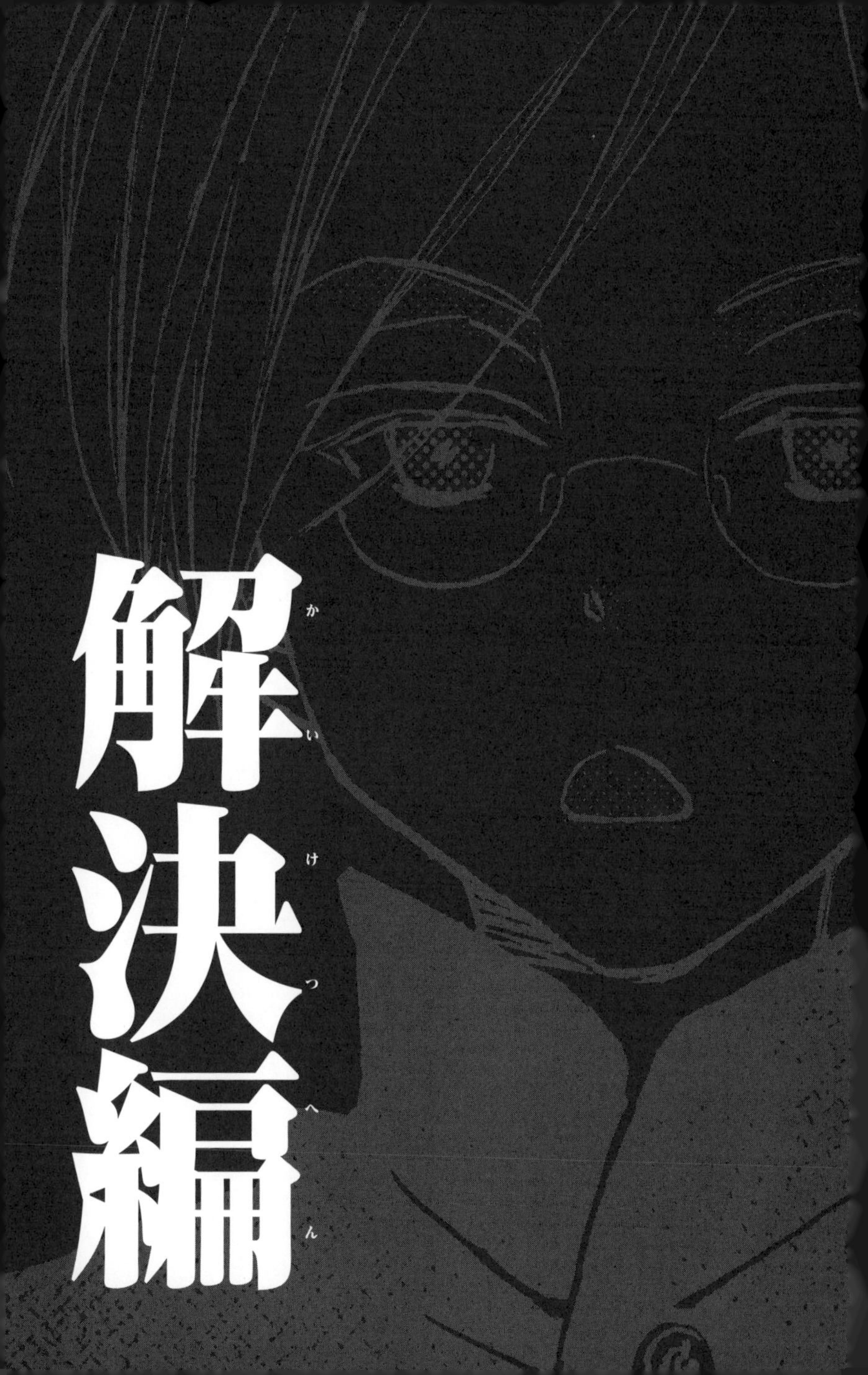

真実《しんじつ》と美希《みき》と健太《けんた》は、洞窟《どうくつ》の中《なか》を、奥《おく》へと進《すす》んでいく。

——と、そこには、赤《あか》い目《め》を持《も》つ恐《おそ》ろしげな妖怪《ようかい》の姿《すがた》があった。


「うわあああっ、出《で》たぁ〜〜!!」

「きゃあああっ!!」


悲鳴《ひめい》をあげる健太《けんた》と美希《みき》。

「よく見《み》てごらん。ただのつくりものだ」

真実《しんじつ》に指摘《してき》され、健太《けんた》がその妖怪《ようかい》をよく見《み》ると、牛鬼《うしおに》は発泡《はっぽう》スチロールでつくられたハリボテであることがわかった。

ハリボテは、全体《ぜんたい》が黒《くろ》く塗《ぬ》られているので、暗《くら》い場所《ばしょ》にあるとシルエットのように見《み》える。目《め》の部分《ぶぶん》はくりぬかれていて、その中《なか》に赤《あか》い電球《でんきゅう》が仕《し》込《こ》まれていた。

「さっき目《め》が赤《あか》く光《ひか》って見《み》えたのは……この電球《でんきゅう》?」

伝声管《でんせいかん》
離《はな》れたところと話《はなし》ができるように設《もう》けられた管《くだ》。工場《こうじょう》や船《ふね》の中《なか》での連絡用《れんらくよう》に、よく使用《しよう》されている。

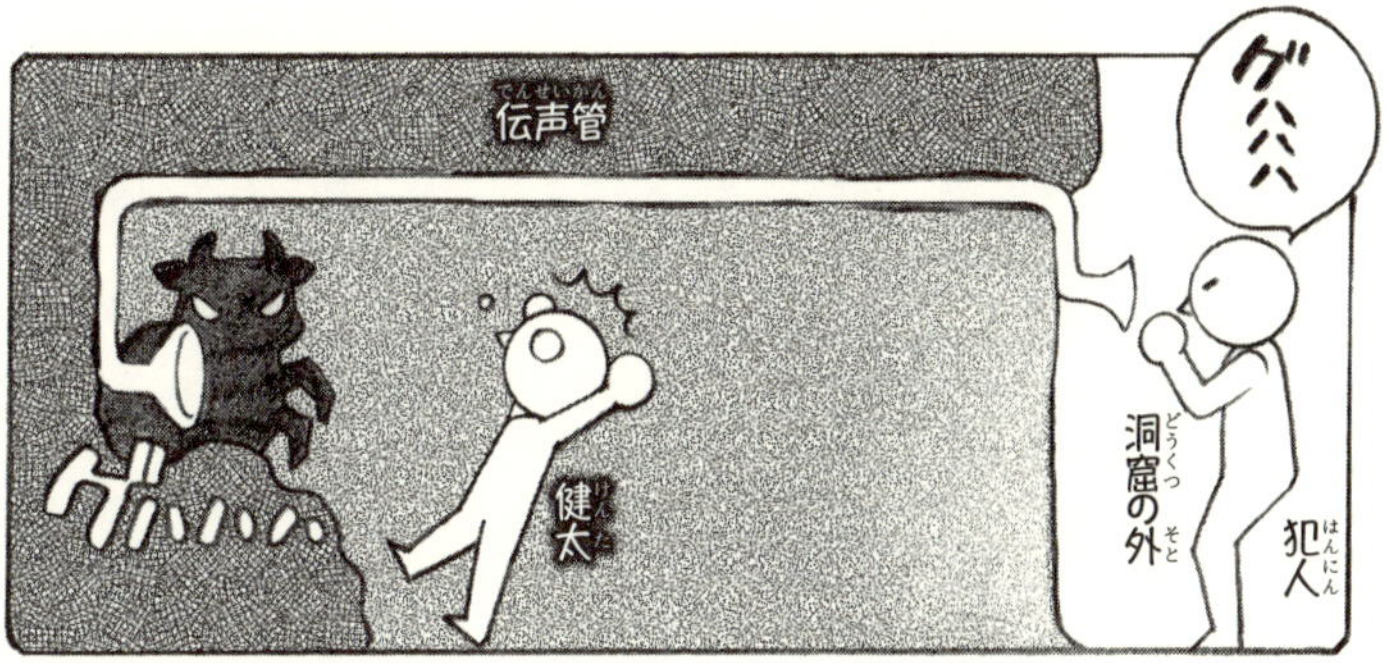

健太《けんた》が、気《き》の抜《ぬ》けたような声《こえ》でつぶやく。

「そう。そして、牛鬼《うしおに》の声《こえ》は、この伝声管《でんせいかん》から聞《き》こえていたんだ」

洞窟《どうくつ》の奥《おく》の、先端《せんたん》がラッパのような形《かたち》になったパイプを指《ゆび》さし、真実《しんじつ》は言《い》った。

３人《にん》は、真実《しんじつ》が「伝声管《でんせいかん》」と呼《よ》ぶそのパイプをたどっていく。

パイプは洞窟《どうくつ》の壁《かべ》を伝《つた》って外《そと》まで続《つづ》いていた。

反対側《はんたいがわ》の先端《せんたん》は、洞窟《どうくつ》の入《い》り口《ぐち》付近《ふきん》にあり、こちらもラッパのような形《かたち》になっていた。

それは、ちょうど大人《おとな》が口《くち》を近《ちか》づけて話《はな》せる高《たか》さに設置《せっち》されている。

「わかった。牛鬼《うしおに》のフリをした犯人《はんにん》は、ここから声《こえ》を出《だ》して、洞窟《どうくつ》の奥《おく》まで響《ひび》かせていたんだね？」

健太《けんた》が言《い》うと、「そのとおりさ」と真実《しんじつ》はうなずく。

「そして、影《かげ》が消《き》えたのは、おそらくこのふたつのスイッチ……」

真実《しんじつ》は、洞窟《どうくつ》の外《そと》の伝声管《でんせいかん》の近《ちか》くにあるふたつのスイッチを指《ゆび》さす。

「犯人《はんにん》はこれで洞窟《どうくつ》の中《なか》の照明《しょうめい》を操作《そうさ》し、影《かげ》を操《あやつ》っていたのだろう」

「……影《かげ》を操《あやつ》る？　いったいどういうこと？」

「今《いま》からぼくが犯人《はんにん》と同《おな》じことをやってみせるから、よく見《み》てて」


真実《しんじつ》に促《うなが》され、健太《けんた》と美希《みき》は洞窟《どうくつ》の中《なか》へと戻《もど》った。

健太《けんた》は、大《おお》きな照明《しょうめい》1個《こ》と小《ちい》さな照明《しょうめい》10個《こ》が取《と》り付《つ》けられた天井《てんじょう》を見上《みあ》げた。

このとき、大《おお》きな照明《しょうめい》1個《こ》だけがついていて、小《ちい》さな照明《しょうめい》10個《こ》は消《き》えていた。

大《おお》きな照明《しょうめい》の光《ひかり》に照《て》らされたふたりの足元《あしもと》には、長《なが》い影《かげ》ができていた。

そこへ、洞窟《どうくつ》の外《そと》にいる真実《しんじつ》が、伝声管《でんせいかん》を通《とお》し、ふたりに呼《よ》びかけてくる。

『今《いま》からぼくがスイッチを操作《そうさ》する。天井《てんじょう》の照明《しょうめい》がどう変《か》わるか、そのとき、影《かげ》がどうなるか、見《み》ていてくれよ』

「了解《りょうかい》！」と、答《こた》える健太《けんた》と美希《みき》。

真実《しんじつ》がスイッチのひとつを押《お》す。

すると、洞窟《どうくつ》の入《い》り口《ぐち》に備《そな》えられていた暗幕《あんまく》が自動的《じどうてき》に下《お》り、大《おお》きな照明《しょうめい》も消《き》えて、洞窟《どうくつ》の中《なか》は一瞬《いっしゅん》、真《ま》っ暗《くら》になった。

次《つぎ》に真実《しんじつ》は、もうひとつのスイッチを押《お》す。

その瞬間《しゅんかん》、洞窟《どうくつ》の天井《てんじょう》に取《と》り付《つ》けられた10個《こ》の小《ちい》さな照明《しょうめい》がすべてついて、洞窟《どうくつ》の中《なか》はふたたび明《あか》るくなった。

そして、このとき、健太《けんた》と美希《みき》の足元《あしもと》からは、影《かげ》が消《き》えていた。

「あっ、影《かげ》が消《き》えた！」

「あのときと同《おな》じだ！」

足元《あしもと》を見《み》ながら、美希《みき》と健太《けんた》が叫《さけ》ぶ。

影《かげ》がある

照明《しょうめい》が1個《こ》だけついていると、その光《ひかり》が物体《ぶったい》にさえぎられて、照明《しょうめい》の反対側《はんたいがわ》に影《かげ》ができる。

影《かげ》がない！

照明《しょうめい》がいろんな方向《ほうこう》から当《あ》たっていると、一方《いっぽう》からの光《ひかり》でできた影《かげ》が、その反対側《はんたいがわ》から照《て》らす光《ひかり》で打《う》ち消《け》され、影《かげ》がなくなる。

「光《ひかり》あるところに影《かげ》あり――。影《かげ》は、光《ひかり》が物体《ぶったい》にさえぎられることによってできるものだ」

そう言《い》いながら、真実《しんじつ》は洞窟《どうくつ》の中《なか》へと入《はい》ってきた。

「しかし、複数《ふくすう》の照明《しょうめい》が同時《どうじ》にひとつの物体《ぶったい》を照《て》らした場合《ばあい》、その影《かげ》を、ほかの光《ひかり》が打《う》ち消《け》してしまい、影《かげ》がなくなるんだ」

「そうか、そういうことだったのか！」

健太《けんた》はうなずく。


そのとき、３人《にん》の背後《はいご》から、聞《き》き覚《おぼ》えのある声《こえ》が聞《き》こえてきた。

「やったね～！　ボクのファンのみんな～！　アガル&《アンド》真実《しんじつ》が妖怪《ようかい》・牛鬼《うしおに》のナゾを解決《かいけつ》しちゃったヨ～！」

見《み》ると、ハイテンション・アガルがカメラで自撮《じど》りしながらしゃべっている。

「牛鬼《うしおに》の正体《しょうたい》はズバリ、影《かげ》を打《う》ち消《け》す光《ひかり》！　光《ひかり》がさえぎられることでできる影《かげ》を、たくさんの光《ひかり》で打《う》ち消《け》すことで、妖怪《ようかい》が影《かげ》を喰《く》ったように見《み》せかけていたんだネ～！」

「ちょっと！　なに勝手《かって》にコラボして自分《じぶん》の手柄《てがら》みたいに話《はな》してんの!?」

激怒《げきど》した美希《みき》は、アガルに詰《つ》め寄《よ》った。

「あ～ちょっとちょっと、邪魔《じゃま》しないで！」

「はあ⁉」

「せっかく、いい場面《ばめん》が撮《と》れたんだから！　真実《しんじつ》くんはもちろん、助手《じょしゅ》のキミたちの姿《すがた》もバッチリ映《うつ》ってるヨ～！」

「もしかして、わたしたちをつけ回《まわ》して、隠《かく》し撮《ど》りしていたの⁉」

キッとなって眉《まゆ》を吊《つ》りあげる美希《みき》に、アガルは悪《わる》びれず「まあネ～」と答《こた》える。

「……そっか。さっき、誰《だれ》かに見《み》られているような感《かん》じがしたのは、気《き》のせいじゃなかったんだ」

健太《けんた》は、納得《なっとく》したようにつぶやいた。

「肖像権《しょうぞうけん》の侵害《しんがい》だわ！　データ、没収《ぼっしゅう》させてもらうわよ！」

美希《みき》はアガルの手《て》からカメラを奪《うば》おうとしたが、アガルはヒョイとよける。

「はい。そんなわけで、ハイテンション・アガルが山風村《やまかぜむら》からお送《おく》りしました～！　ファンのみんな～、また会《あ》おうネ～！」

アガルはカメラの電源《でんげん》を切《き》ると、

「さあ〜すぐに編集《へんしゅう》して、配信《はいしん》しなくっちゃ。じゃネ〜」

と、すばやくその場《ば》を走《はし》り去《さ》っていったのだった。


３人《にん》が「矢戸田旅館《やどたりょかん》」に戻《もど》ると、ニコニコ顔《がお》の村長《そんちょう》が、３人《にん》を迎《むか》える。

「アガルくんから聞《き》いたよ！　真実《しんじつ》くん、アガルくんと一緒《いっしょ》に、妖怪《ようかい》・牛鬼《うしおに》のナゾを解《と》き明《あ》かしてくれたんだってね！　いや〜、キミはこの村《むら》の救世主《きゅうせいしゅ》だよぉ〜！」

「ぼくは、ただナゾのひとつを解《と》いただけです」

真実《しんじつ》は淡々《たんたん》と答《こた》えたが、村長《そんちょう》は感激《かんげき》したようすで真実《しんじつ》の手《て》を握《にぎ》りしめる。

「妖怪騒動《ようかいそうどう》のひとつを解決《かいけつ》できただけでも、この村《むら》にとってはおおいなる一歩《いっぽ》だ！　ありがとう、ありがとう……」

真実《しんじつ》、健太《けんた》、美希《みき》には、ごほうびとして、村長《そんちょう》から豪華《ごうか》な料理《りょうり》がふるまわれることになった。

「ありがとう。ぼくからもお礼《れい》を言《い》うよ」

継男《つぐお》も真実《しんじつ》たちに言《い》う。騒動《そうどう》が解決《かいけつ》したおかげで、牛鬼《うしおに》に遭遇《そうぐう》して寝込《ねこ》んでいた釣《つ》り人《びと》は、安心《あんしん》して帰《かえ》っていったらしい。

料理《りょうり》をほおばりながら、3人《にん》は妖怪騒動《ようかいそうどう》を起《お》こしている犯人《はんにん》について考《かんが》えていた。

「妖怪《ようかい》のフリをして人《ひと》を怖《こわ》い目《め》にあわすなんて……いったい何者《なにもの》だろう？」

健太《けんた》が言《い》うと、「決《き》まってるじゃない！」と、美希《みき》。

「犯人《はんにん》は、ハイテンション・アガルよ！　アイツには、自作自演《じさくじえん》でオカルト騒動《そうどう》を起《お》こした前科《ぜんか》があるわ！」

3人《にん》をつけ回《まわ》していたアガルには洞窟《どうくつ》の照明《しょうめい》を操作《そうさ》できるチャンスもあった。絶対《ぜったい》にあやしい、と美希《みき》は息巻《いきま》く。

そんなか、真実《しんじつ》だけは、黙々《もくもく》と料理《りょうり》を口《くち》に運《はこ》んでいた。

「ねえ、真実《しんじつ》くんはどう思《おも》ってるの？」

美希《みき》の問《と》いに、

「今《いま》はまだ何《なに》も言《い》えない」

と真実《しんじつ》は答《こた》えた。

この村《むら》に、妖怪騒動《ようかいそうどう》を起《お》こす動機《どうき》を持《も》った人間《にんげん》はたくさんいるようだ。

しかし、決定的《けっていてき》な証拠《しょうこ》はなく、犯人《はんにん》が誰《だれ》かはいまだ不明《ふめい》だった。

2

SCIENCE TRICK DATA FILE

科学《かがく》トリック データファイル

影《かげ》を操《あやつ》る照明《しょうめい》

解決編《かいけつへん》で紹介《しょうかい》した、多方向《たほうこう》から光《ひかり》を当《あ》てて影《かげ》を消《け》すしくみは、さまざまな場面《ばめん》で使《つか》われています。

代表的《だいひょうてき》なものに、病院《びょういん》の手術室《しゅじゅつしつ》などで使《つか》われる、「無影灯《むえいとう》」があります。影《かげ》によって、患部《かんぶ》が見《み》えにくくなることを防《ふせ》ぐために使《つか》われています。

無影灯《むえいとう》
多方向《たほうこう》から光《ひかり》を当《あ》てることで影《かげ》ができなくする照明《しょうめい》。病院《びょういん》の手術室《しゅじゅつしつ》や歯科医院《しかいいん》などに設置《せっち》されている。

舞台《ぶたい》メイク用《よう》の鏡《かがみ》
舞台上《ぶたいじょう》と同《おな》じ条件《じょうけん》にするため、たくさんのライトが付《つ》いている。

舞台《ぶたい》メイク用《よう》の鏡《かがみ》も同《おな》じ原理《げんり》を使《つか》っています。

舞台《ぶたい》では、いろんな方向《ほうこう》から照《しょう》明《めい》が当《あ》たるので、顔《かお》に影《かげ》ができず、ふつうのメイクだとのっぺりした印象《いんしょう》の顔《かお》になってしまいます。そこで、ライトがたくさん付《つ》いた鏡《かがみ》を使《つか》うことで舞台上《ぶたいじょう》と同《おな》じ条件《じょうけん》にし、影《かげ》ができなくても、より映《は》えるメイクができるようにしています。

A.野球場《やきゅうじょう》やサッカースタジアムの夜間照明《やかんしょうめい》も、同《おな》じ原理《げんり》を使《つか》っているよ

妖魔《ようま》の村《むら》3

燃《も》えさかる車輪《しゃりん》の怪《かい》

「おはよう、謎野《なぞの》くん。今日《きょう》はいい天気《てんき》だね」

朝《あさ》。真実《しんじつ》が旅館《りょかん》の廊下《ろうか》を歩《ある》いていると、継男《つぐお》が声《こえ》をかけてきた。

「いやあ、うちの旅館《りょかん》にこんなに人《ひと》がいるなんて、ここに戻《もど》ってきて初《はじ》めての経験《けいけん》だよ」

旅館《りょかん》には、真実《しんじつ》たち以外《いがい》にも、ハイテンション・アガルや恐井恐子《こわいきょうこ》、それに完全寺満夫《かんぜんじみつお》が泊《と》まっていた。

「ここに戻《もど》ってきて？　以前《いぜん》どこか別《べつ》のところで働《はたら》いていたんですか？」

「えっ、ああ～、大学《だいがく》を卒業《そつぎょう》してからしばらく東京《とうきょう》で働《はたら》いていたんだよ。仕事《しごと》はおもしろかったんだけど、半年前《はんとしまえ》、父《ちち》が病気《びょうき》で亡《な》くなって、旅館《りょかん》を継《つ》ぐために村《むら》に帰《かえ》ってきたんだ。だけど、なかなかこの仕事《しごと》に慣《な》れなくてさ」

継男《つぐお》は苦笑《にがわら》いを浮《う》かべた。

そのとき、健太《けんた》が駆《か》け込《こ》んできた。

「真実《しんじつ》くん、もうだいじょうぶだよ！」

「だいじょうぶって、何《なに》がだいじょうぶなんだい？」

「妖怪《ようかい》だよ。完全寺《かんぜんじ》さんがね、

これがあれば妖怪《ようかい》が出《で》ても襲《おそ》われずにすむっていうんだよ」

健太《けんた》は、「安心《あんしん》」と書《か》かれたおふだを見《み》せた。

「へえ、これが安心《あんしん》おふだかあ。初《はじ》めてちゃんと見《み》たよ」

継男《つぐお》はまじまじと見《み》つめる。

「完全寺《かんぜんじ》さんって見《み》た目《め》はちょっとあやしいけど、すごくやさしいんだ。だって、この安《あん》心《しん》おふだ、特別価格《とくべつかかく》でも1万円《まんえん》もするのに、お試《ため》しにってタダでくれたんだから」

「それは最初《さいしょ》タダで配《くば》って、次《つぎ》から買《か》わせようとする作戦《さくせん》だと思《おも》うよ」

「えっ、そうなの？」

「健太《けんた》くん、そもそも妖怪《ようかい》なんていないからね。牛鬼《うしおに》もトリックだったじゃないか」

「それはそうなんだけど……」

「まだまだ別《べつ》の妖怪《ようかい》が出《で》るかもしれないわよ！」

突然《とつぜん》、声《こえ》がした。

見《み》ると、美希《みき》がいつの間《ま》にか、そばに立《た》っていた。

「真実《しんじつ》くん、わたし、すごいことに気《き》づいちゃったの！」

美希《みき》は、持《も》ってきた4冊《さつ》のマンガ

を一同《いちどう》に見《み》せた。

恐井恐子《こわいきょうこ》の『妖怪探偵《ようかいたんてい》ヨーカイくん』だ。

「美希《みき》ちゃん、ぼくの本《ほん》がどうかしたの？」

「健太《けんた》くん、これを何度《なんど》も読《よ》んでて気《き》づかなかったの？」

「ええっと、ヨーカイくんが意外《いがい》とイケメンってことかな？」

「違《ちが》～う！　これよ！」

美希《みき》は、１巻《かん》の表紙《ひょうし》に書《か》かれたサブタイトルを指《ゆび》さした。

「怪奇《かいき》！　山姥《やまんば》のいる旅館《りょかん》！」

「ええっと、それが何《なに》？」

「なら、これはどう!?」

美希《みき》は２巻《かん》の表紙《ひょうし》を見《み》せた。そこには、**「恐怖《きょうふ》の牛鬼《うしおに》！」**とサブタイトルが書《か》かれていた。

「美希《みき》ちゃん、どういうこと？」

「まさか、キミたちが村《むら》に来《き》てから、マンガどおりに妖怪《ようかい》が現《あらわ》れているってことかい？」

継男《つぐお》の言葉《ことば》に、美希《みき》がうなずく。

「マンガを読《よ》んだら、妖怪《ようかい》が出《で》てきた状況《じょうきょう》もよく似《に》てたわ。わたし、ハイテンション・アガルを疑《うたが》ってたけど、もしかしたら、恐井先生《こわいせんせい》が妖怪騒動《ようかいそうどう》の犯人《はんにん》という線《せん》もあるのかも……」

「そんな！」

『妖怪探偵《ようかいたんてい》ヨーカイくん』は、全部《ぜんぶ》で4巻《かん》。つまり、あと2巻分《かんぶん》、妖怪《ようかい》が出《で》るってことよ」

3巻《かん》には**「死《し》の輪入道《わにゅうどう》！」**、4巻《かん》には**「すべてを凍《こお》らせる雪女《ゆきおんな》！」**とサブタイトルが書《か》かれていた。

3巻《かん》の表紙《ひょうし》には、燃《も》えさかる車輪《しゃりん》の真《ま》ん中《なか》に、恐《おそ》ろしい顔《かお》をした男《おとこ》の頭部《とうぶ》がついている妖怪《ようかい》の姿《すがた》が描《えが》かれている。

「ええっ!? 次《つぎ》は輪入道《わにゅうどう》ってこと? 真実《しんじつ》くん、輪入道《わにゅうどう》って捨《す》てられた牛車《ぎっしゃ》の怨念《おんねん》が宿《やど》った妖怪《ようかい》で、見《み》たら死《し》んじゃうらしいよ」

怖《こわ》がる健太《けんた》にかまわず、真実《しんじつ》はマンガをじっと見《み》つめていた。

「わたし、恐井先生《こわいせんせい》を監視《かんし》したほうがいいと思《おも》うの。恐井先生《こわいせんせい》は、今日《きょう》

牛車《ぎっしゃ》
牛《うし》にひかせる屋根《やね》つきの車《くるま》。主《おも》に平安時代《へいあんじだい》に貴族《きぞく》が乗《の》っていた。

の夜《よる》、ハイテンション・アガルと村《むら》はずれの丘《おか》に行《い》くらしいわ」

「村《むら》はずれの丘《おか》に？　どうしてふたりはそんなところに行《い》くの？」

「アガルが動画《どうが》を撮《と》るらしいの。なんでも、『今夜《こんや》、山風村《やまかぜむら》の丘《おか》に輪入道《わにゅうどう》が出《で》る』って、アガルのＳＮＳ《エスエヌエス》に匿名《とくめい》の書《か》き込《こ》みがあったらしいわ」

「予告《よこく》ってこと？」

恐井《こわい》もそれを知《し》り、妖怪《ようかい》を見《み》たいと言《い》って、動画撮影《どうがさつえい》に同行《どうこう》するらしい。

「真実《しんじつ》くん、わたしたちも行《い》きましょう！　うまくいけば、犯人《はんにん》の証拠《しょうこ》が何《なに》か見《み》つかるかも」

「証拠《しょうこ》か……」

真実《しんじつ》は少《すこ》し考《かんが》え込《こ》んでから、美希《みき》と健太《けんた》を見《み》た。

「とりあえず、行《い》ってみようか」

その日《ひ》の夜《よる》。真実《しんじつ》は健太《けんた》と美希《みき》とともに、旅館《りょかん》の玄関《げんかん》にいた。

「わあ！　真実《しんじつ》くんが来《き》てくれるとは、スーパーハイテンション・サプライズだヨ〜！」

アガルがカメラを回《まわ》しながら、テンション高《たか》く真《しん》実《じつ》と無理《むり》やり握手《あくしゅ》をした。

「アガルと真実《しんじつ》の名探偵《めいたんてい》コンビが妖怪《ようかい》・輪入道《わにゅうどう》に挑《いど》む！　みんなも見《み》たいよネ〜！」

アガルはカメラに向《む》かってしゃべりはじめた。

「……ハイテンション・アガル、牛鬼《うしおに》のナゾ解《と》き動画《どうが》をアップして、かなりアクセス数《すう》をかせいだらしいわよ。わたしも見《み》たけど、まるで自分《じぶん》がナゾを解《と》いたみたいに編集《へんしゅう》されてたわ」

美希《みき》が真実《しんじつ》と健太《けんた》に小声《こごえ》で言《い》う。

「アガルさん、そんなことしてたんだ」

「またもや、でっちあげね。そう考《かんが》えると、ハイテンション・アガルもやっぱりあやしいわよねえ」

すると向《む》こうから、着物《きもの》を着《き》て番傘《ばんがさ》を差《さ》し、ツノつきのベレー帽《ぼう》をかぶった女《おんな》の人《ひと》が歩《ある》いてきた。恐井《こわい》だ。

「お待《ま》たせ……しましたわ」

恐井《こわい》はふと、真実《しんじつ》のほうを見《み》る。

「謎野《なぞの》くん、継男《つぐお》さんからあなたが一緒《いっしょ》に来《く》ると聞《き》いて……、お近《ちか》づきのしるしですわ」

恐井《こわい》は真実《しんじつ》に1枚《まい》の色紙《しきし》を渡《わた》した。

そこには、ホラーテイストな真実《しんじつ》の似顔絵《にがおえ》が描《えが》かれていた。

健太《けんた》は思《おも》わず声《こえ》をあげた。


「うわ！　すごい！　恐井先生《こわいせんせい》の直筆《じきひつ》だ！」

番傘《ばんがさ》
太《ふと》い竹《たけ》で骨《ほね》を組《く》み、その上《うえ》に油《あぶら》を含《ふく》ませた和紙《わし》を張《は》った雨傘《あまがさ》。江戸《えど》時代《じだい》の中《なか》ごろにつくられた。

「プレゼント、しますわ」

「あ、ありがとうございます……」

　真実《しんじつ》が似顔絵《にがおえ》を受《う》け取《と》ると、恐井《こわい》は不気味《ぶきみ》な笑《え》みを浮《う》かべていた。

「よおし、恐井先生《こわいせんせい》も来《き》たことだし、テンション高《たか》く、行《い》ってみヨ〜！」

　アガルが動画《どうが》を撮影《さつえい》しながら、みんなにそう言《い》った。

「ちょっと待《ま》った!!」

　突然《とつぜん》、完全寺《かんぜんじ》がズカズカと歩《ある》いてきた。

「輪入道《わにゅうどう》を探《さが》しに行《い》くと聞《き》いたぞ。ならば、これが必要《ひつよう》だろう」

完全寺《かんぜんじ》はふところからおふだのたばを取《と》り出《だ》した。

「あっ、安心《あんしん》おふだだ！」

健太《けんた》が昼間《ひるま》もらったおふだである。

「これさえあれば、安心《あんしん》、安全《あんぜん》。特別価格《とくべつかかく》で1枚《まい》1万円《まんえん》だが、さらに特別《とくべつ》に千円《せんえん》で進《しん》ぜよう」

「えっ、千円《せんえん》!?　ねえ、お得《とく》だよ！」

「ぜんぜんお得《とく》じゃないし！」

美希《みき》は完全寺《かんぜんじ》をにらんだ。

「わたしたちは、そういうのはいりません」

「ボクも。おふだなんかあるとテンション下《さ》がるもんネ～」

「わたしも……いりませんわ」

「そんな！　本当《ほんとう》におふだがなくてもいいのか!?　末代《まつだい》まで呪《のろ》われても知《し》らんぞ！」

完全寺《かんぜんじ》は「2枚《まい》で千円《せんえん》、いや、5枚《まい》で千円《せんえん》」と必死《ひっし》に言《い》うが、誰《だれ》も相手《あいて》にしなかった。

真実《しんじつ》たちは、完全寺《かんぜんじ》をほうって、村《むら》はずれの丘《おか》へ向《む》かった。

ホーホー

どこかでフクロウが鳴《な》いている。

丘《おか》への道《みち》は、外灯《がいとう》もなく、真《ま》っ暗《くら》だった。

今夜《こんや》は満月《まんげつ》だが、月《つき》は分厚《ぶあつ》い雲《くも》に隠《かく》れている。明《あ》かりは、それぞれが持《も》つ懐中電灯《かいちゅうでんとう》だけだ。

「ぼく、なんだか怖《こわ》くなってきた」

健太《けんた》は安心《あんしん》おふだを持《も》ちながら、そうつぶやく。

「もうちょっとで丘《おか》に着《つ》くわよ。気合《きあい》を入《い》れて」

「気合《きあい》か〜。ところで、相棒《あいぼう》の真実《しんじつ》にちょっと聞《き》きたいことがあるんだ！　書《か》き込《こ》みはイタズラだったのかな!?」

アガルはカメラを見《み》ながらしゃべる。

「さあ、それはわかりません」

真実《しんじつ》はそう言《い》いながら、まわりを見《み》る。

村《むら》はずれのこのあたりは、木々《きぎ》がうっそうと生《お》い茂《しげ》っている。

「なんか、不気味《ぶきみ》よね……」

「輪入道《わにゅうどう》がホントに出《で》てもおかしくないよね……」

健太《けんた》が美希《みき》に近《ちか》づいたそのとき、手《て》が美希《みき》の服《ふく》の袖《そで》に触《ふ》れた。

その瞬間《しゅんかん》、バチッと小《ちい》さな音《おと》が鳴《な》った。

「痛《いた》っ！」

「あ～、静電気《せいでんき》ね」

「うん、急《きゅう》にビリッってなるからびっくりしたよ」

健太《けんた》は痛《いた》みを感《かん》じた手《て》をさすった。

「空気《くうき》が……、乾燥《かんそう》してるようね。こんな日《ひ》は、輪入道《わにゅうどう》も……よく燃《も》えそうですわね」

恐井《こわい》が不気味《ぶきみ》にほほえむ。

美希《みき》はそんな恐井《こわい》をあやしむように、じっと見《み》つめた。

すると、ほほえんでいた恐井《こわい》が急《きゅう》に目《め》を大《おお》きく見開《みひら》いた。

「何《なに》か……いるわ」

「えっ？」

一同《いちどう》は、恐井《こわい》の指《ゆび》さす茂《しげ》みのほうを見《み》た。


ガサガサガサッ！


茂《しげ》みが大《おお》きく揺《ゆ》れている。

次《つぎ》の瞬間《しゅんかん》、茂《しげ》みの中《なか》から何《なに》かが飛《と》び出《だ》してきた。

「うわああ！　輪入道《わにゅうどう》だ!!」

健太《けんた》はあわてて真実《しんじつ》のうしろに隠《かく》れる。

美希《みき》はとっさにカメラを構《かま》えた。

「輪入道《わにゅうどう》、ホントにいたのね！」

「真実《しんじつ》くん、早《はや》くおふだをはらなきゃ!!」

「――いや、健太《けんた》くん、美希《みき》さん、輪入道《わにゅうどう》じゃないよ」

真実《しんじつ》が茂《しげ》みをじっと見《み》つめながら言《い》った。

健太《けんた》と美希《みき》は戸惑《とまど》いながらも、懐中電灯《かいちゅうでんとう》を、茂《しげ》みから飛《と》び出《だ》してきたもののほうに向《む》ける。

「あ！」

「オメェら、こんな時間《じかん》に何《なに》やってるんだ！」

そこに立《た》っていたのは、この村《むら》に来《く》る途中《とちゅう》で会《あ》った山尾守《やまおまもる》だった。

山尾《やまお》は、村《むら》からさらに山《やま》を登《のぼ》った場所《ばしょ》にある山小屋《やまごや》に戻《もど》るところだという。

「夜《よる》にウロウロ歩《ある》き回《まわ》るんじゃねェ！　とっとと帰《かえ》れ！」

山尾《やまお》は、アガルたちに詰《つ》め寄《よ》る。

「ちょっと何《なに》テンション下《さ》がること言《い》ってるんだヨ〜！　アガルたち、あの妖怪《ようかい》・輪入道《わにゅうどう》を探《さが》してるんだからネ〜！」

「輪入道《わにゅうどう》だと？　ふざけてんのか！」

「ふざけてなんか……いない。妖怪《ようかい》は、本当《ほんとう》に存在《そんざい》しますわ」

恐井《こわい》は不気味《ぶきみ》にほほえむ。

「何《なん》だ、その顔《かお》は！　興味本位《きょうみほんい》で妖怪探《ようかいさが》しなんかしてっと、山《やま》が怒《おこ》るぞ！　さあ、帰《かえ》れ！」

山尾《やまお》はアガルたちを追《お》い返《かえ》そうとした。

「ん？」

真実《しんじつ》が目《め》をこらすと、前方《ぜんぽう》にうっすらと丘《おか》が見《み》えた。

丘《おか》の上《うえ》には、１本《ぽん》の大《おお》きな木《き》が立《た》っている。

そばには小川《おがわ》が流《なが》れている。

「あれは……」

真実《しんじつ》は、丘《おか》のほうへ向《む》かった。

「帰《かえ》れと言《い》ってるだろが！」

山尾《やまお》は真実《しんじつ》を追《お》いかけ、止《と》めようとする。

「真実《しんじつ》くん、どうしたの？」

健太《けんた》たちも真実《しんじつ》を追《お》いかける。

真実《しんじつ》は丘《おか》の上《うえ》にある１本《ぽん》の大《おお》きな木《き》に、懐中電灯《かいちゅうでんとう》を向《む》けていた。

一同《いちどう》は、その木《き》をながめた。

「えっ？」

木《き》のそばに、何《なに》かがいる。

「おや～、あれはいったい何《なに》かな？」

アガルは、懐中電灯《かいちゅうでんとう》をそちらへと向《む》けた。

木《き》のそばに、男《おとこ》がいる。

いや、男《おとこ》の顔《かお》が浮《う》かんでいる。

男《おとこ》は、不気味《ぶきみ》に笑《わら》っていた。

次《つぎ》の瞬間《しゅんかん》――、

ラ
ゴロンッ
男《おとこ》の顔《かお》が、逆《さか》さまになった。

わ
あ
あ
あ

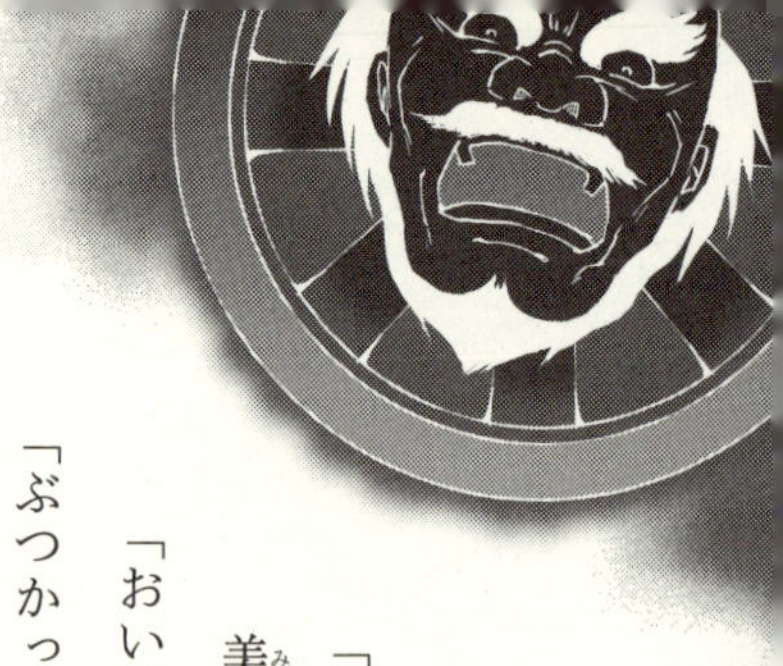

みんながいっせいに悲鳴《ひめい》をあげる。

美希《みき》は驚《おどろ》いてあとずさりして、アガルとぶつかった。

「わっ！」

美希《みき》とアガルは、カメラを茂《しげ》みの中《なか》に落《お》としてしまった。

「おい、何《なに》するんだヨ〜！」

「ぶつかってきたのはそっちでしょ！」

「美希《みき》ちゃん、そんなこと言《い》ってる場合《ばあい》じゃないよ！　あの人《ひと》は誰《だれ》!?　山尾《やまお》さんの知《し》り合《あ》いじゃないの!?」

「オレは知《し》らん！　オメェらの知《し》り合《あ》いじゃねーのか！」

「ぼくたちも、あんな人《ひと》ぜんぜん知《し》らないよ！」

健太《けんた》は動揺《どうよう》しながら、男《おとこ》のほうを見《み》た。

そのとき、雲《くも》の切《き》れ間《ま》から満月《まんげつ》が現《あらわ》れ、月明《つきあ》かりが男《おとこ》の顔《かお》を照《て》らした。

牛車《ぎっしゃ》の車輪《しゃりん》――、男《おとこ》の顔《かお》はその車輪《しゃりん》の真《ま》ん中《なか》についていた――。

「わ……輪《わ》入道《にゅうどう》だ‼」

健太《けんた》が叫《さけ》ぶ。

「みんな見《み》ちゃだめだ！　死《し》んじゃうよ‼」

健太《けんた》はあわてて自分《じぶん》の目《め》を手《て》で隠《かく》した。

グルン　グルン　グルン

車輪《しゃりん》が丘《おか》の上《うえ》から転《ころ》がってくる。

真《ま》ん中《なか》にある顔《かお》が、ずっと不気味《ぶきみ》な笑《え》みを浮《う》かべたまま、クルリ……クルリと回《まわ》る。

「いやああっ！」

美希《みき》は思《おも》わず健太《けんた》の腕《うで》をつかんだ。

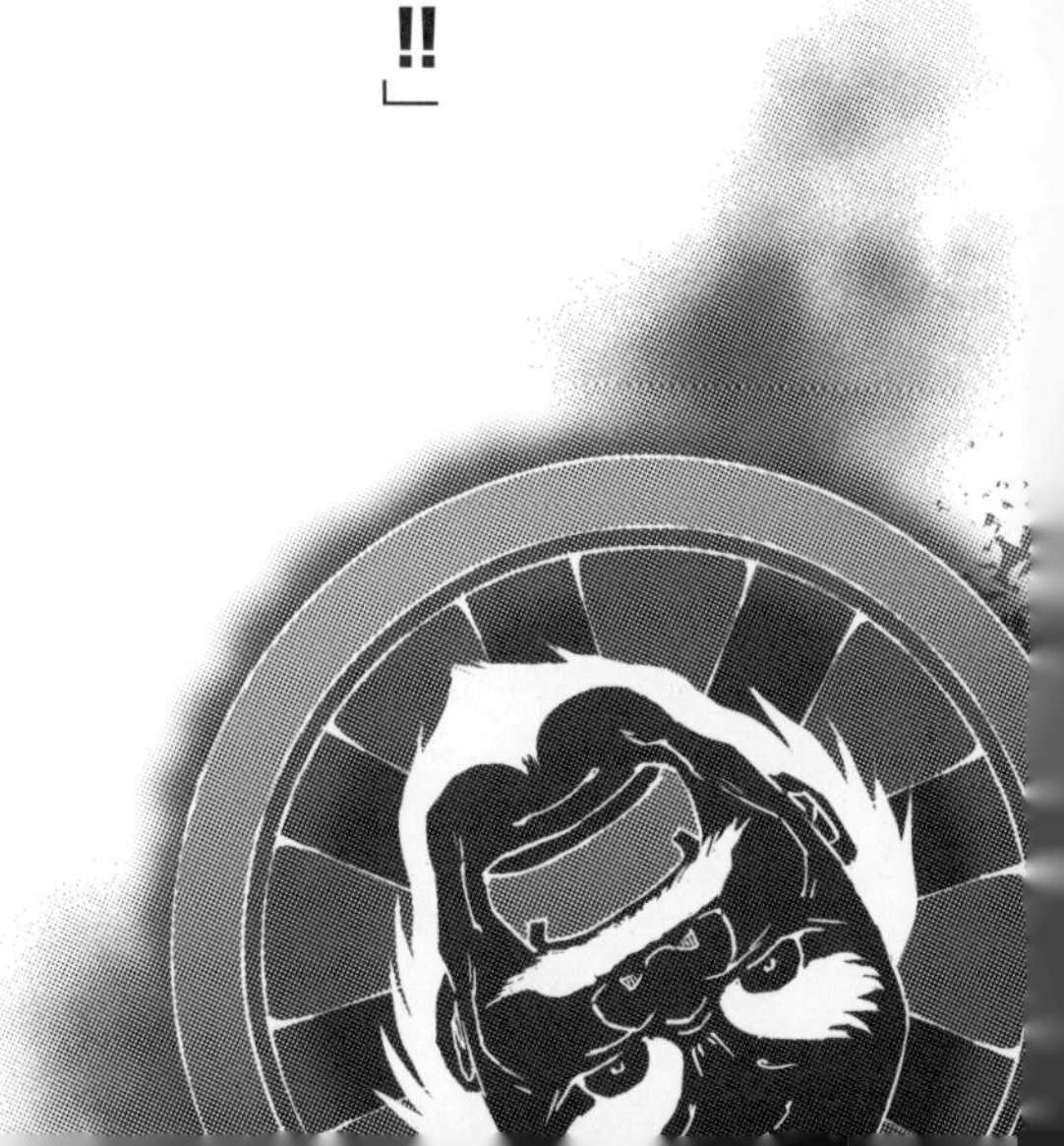

輪入道《わにゅうどう》は、笑《え》みを浮《う》かべながら、丘《おか》の中腹《ちゅうふく》あたりまで転《ころ》がった。

「あれは……、ニセモノ！　本物《ほんもの》の輪入道《わにゅうどう》は、炎《ほのお》に包《つつ》まれているはず！」

恐井《こわい》がそう叫《さけ》んだそのとき――、

バチッ！

次《つぎ》の瞬間《しゅんかん》、輪入道《わにゅうどう》が通《とお》った道筋《みちすじ》に、突如《とつじょ》、炎《ほのお》があがった。

ボオオォオ!!


炎《ほのお》はまたたく間《ま》に壁《かべ》のように、真実《しんじつ》たちの前《まえ》に立《た》ちふさがる。

「これは!?」

「どうなってんだ？　なんで炎《ほのお》が!!」

「やっぱり本物《ほんもの》だったんだ！」

驚《おどろ》く山尾《やまお》とうろたえる健太《けんた》の横《よこ》で、真実《しんじつ》はじっと炎《ほのお》を見《み》つめる。

しばらくすると、燃《も》えさかっていた炎《ほのお》が少《すこ》しずつ小《ちい》さくなり、やがて消《き》えた。

「輪入道《わにゅうどう》は⁉」

一同《いちどう》は輪入道《わにゅうどう》の姿《すがた》を探《さが》した。

しかし、輪入道《わにゅうどう》はまるでけむりのように消《き》えてしまっていた。

「まさか、本物《ほんもの》の輪入道《わにゅうどう》だってーのか？」

「スーパーハイテンションだヨ〜！」

「わたし、初《はじ》めて本物《ほんもの》の妖怪《ようかい》を……、見《み》ましたわ」

一同《いちどう》は、おびえながらも興奮《こうふん》していた。

一方《いっぽう》、真実《しんじつ》は、炎《ほのお》の消《き》えた丘《おか》をただ見《み》つめていた。


「いや〜、昨日《きのう》はテンションMAX《マックス》だったヨ〜！」

翌朝《よくあさ》。村《むら》では昨日《きのう》の出来事《できごと》が大《おお》きな話題《わだい》になっていた。

アガルは緊急《きんきゅう》ライブ配信《はいしん》と称《しょう》して、カメラを回《まわ》していた。

「残念《ざんねん》ながら、一緒《いっしょ》にいた子《こ》とぶつかったときにカメラを落《お》としちゃって、輪入道《わにゅうどう》の動画《どうが》は撮《と》れなかったけど、ボク、とうとう本物《ほんもの》の妖怪《ようかい》を見《み》ちゃったんだ～！　びっくりでしょ！　すごすぎるでしょ！」

アガルはカメラに向《む》かってテンション高《たか》くしゃべる。動画《どうが》のアクセス数《すう》はどんどん増《ふ》えていく。アガルはそれをうれしそうに見《み》ていた。

恐井《こわい》は、旅館《りょかん》の部屋《へや》にこもり、マンガを描《か》いていた。昨日《きのう》の出来事《できごと》から、インスピレーションが湧《わ》いたようだ。

「いいわ……、素敵《すてき》。ふふふふ」

原稿用紙《げんこうようし》には、イケメンの輪入道《わにゅうどう》が描《えが》かれ、「恋《こい》と炎《ほのお》と輪入道《わにゅうどう》おじさん」というタイトルが書《か》かれている。

一方《いっぽう》、完全寺《かんぜんじ》は広場《ひろば》に村《むら》の人《ひと》たちを集《あつ》めていた。

「昨日《きのう》ついに本物《ほんもの》の妖怪《ようかい》が出《で》た！　この村《むら》はやはり呪《のろ》われておるのだ！　だが、安心《あんしん》せえ、この完全寺《かんぜんじ》、完全《かんぜん》にキミたちの味方《みかた》だ！　この安心《あんしん》おふだがあれば、もうだいじょうぶ！　今《いま》なら特別価格《とくべつかかく》1枚《まい》1万円《まんえん》のところ、2枚《まい》で1万《まん》9800円《えん》にまけて進《しん》ぜよう」

完全寺《かんぜんじ》はおふだのたばを人々《ひとびと》に見《み》せて効力《こうりょく》をアピールしていた。

そのころ。真実《しんじつ》は、健太《けんた》と美希《みき》を連《つ》れて、村《むら》はずれの丘《おか》に来《き》ていた。

「真実《しんじつ》くん、ぼく、怖《こわ》いんだけど。輪入道《わにゅうどう》を見《み》たら死《し》んじゃうんだよ。どうしよう。ぼくたち、もうだめかもしれない……」

健太《けんた》はすっかりあの輪入道《わにゅうどう》が本物《ほんもの》の妖怪《ようかい》だと思《おも》っていた。

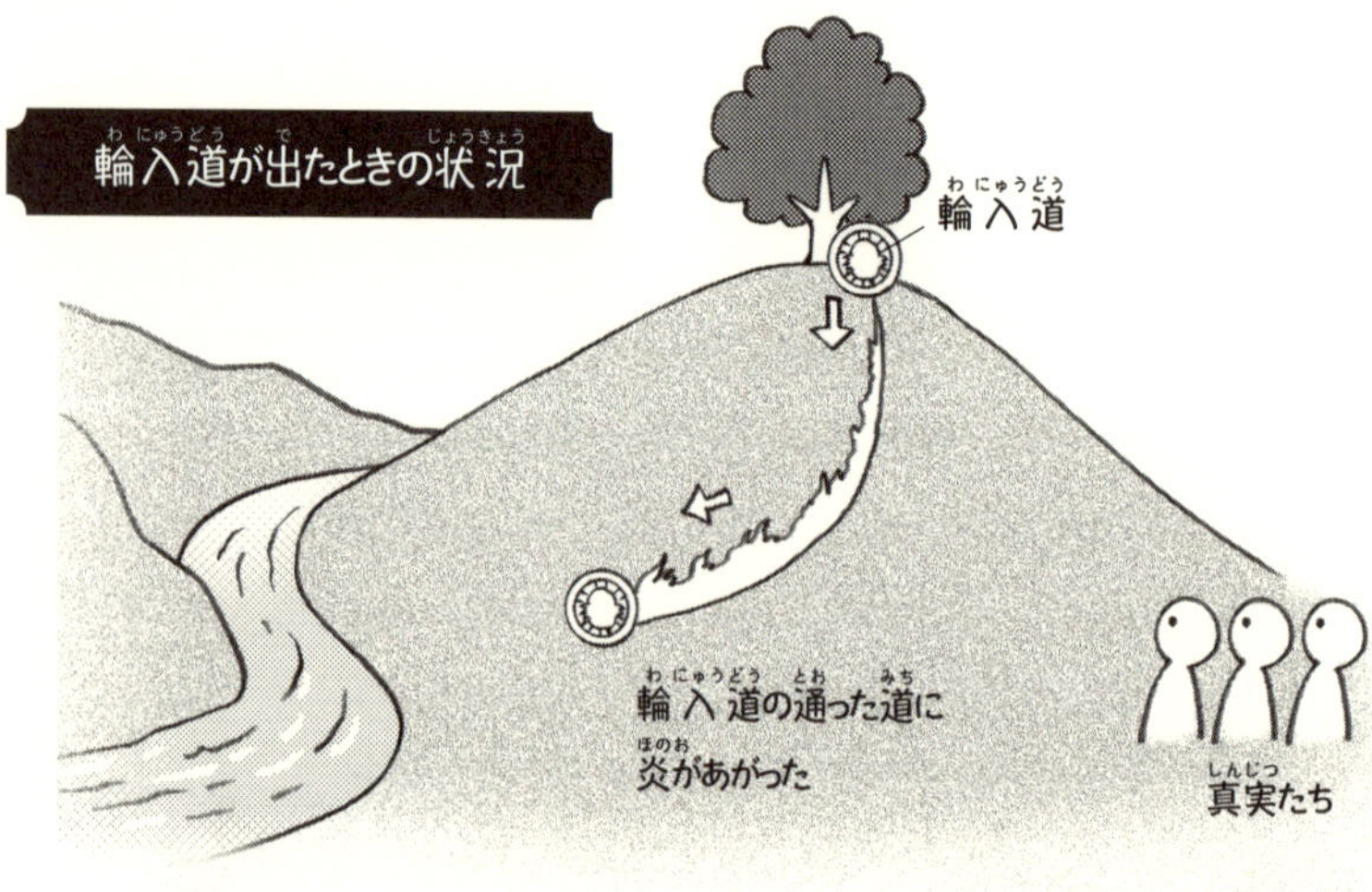

そんな健太《けんた》にかまわず、真実《しんじつ》は輪入道《わにゅうどう》が通《とお》った地面《じめん》を調《しら》べる。

「ううう、ここってなんだか不気味《ぶきみ》なにおいがするよね……」

健太《けんた》がおびえながらそう言《い》った。

「えっ、におい？　わたしにはわからないけど」

「ぼく、鼻《はな》がいいんだ。……もしかしたら、妖怪《ようかい》のにおいかも」

「におい……」

真実《しんじつ》は、鼻《はな》から空気《くうき》を大《おお》きく吸《す》った。

「これは……、ベンジンのにおいだ」

真実《しんじつ》はまわりを見《み》る。

「ベンジンは、とても燃《も》えやすい液体《えきたい》だ。これに火《ひ》をつけたんだ。だけど、あのとき、ベンジンに引火《いんか》するような火《ひ》の気《け》はなかった。いったいどうやって……？」

真実《しんじつ》が考《かんが》えこんでいると、健太《けんた》が美希《みき》としゃべっている声《こえ》が聞《き》こえてきた。

「ぼく、鼻《はな》だけじゃなくて耳《みみ》もいいんだ。それであのとき、ヘンな音《おと》も聞《き》いたんだ……」

「音《おと》？　車輪《しゃりん》が動《うご》く音《おと》なら、わたしも聞《き》いたわよ」

「そうじゃないよ。炎《ほのお》があがるほんの一瞬前《いっしゅんまえ》に、バチッて音《おと》がしたんだよ」

真実《しんじつ》はそれを聞《き》き、ハッとすると地面《じめん》に手《て》をついて何《なに》かを探《さが》しだす。

そして、昨日最初《きのうさいしょ》に炎《ほのお》があがった場所《ばしょ》のあたりで、地面《じめん》に刺《さ》さった小《ちい》さな金属《きんぞく》の棒《ぼう》を見《み》つけた。

「……なるほど、そういうことか」

「それって針金《はりがね》？　真実《しんじつ》くん、針金《はりがね》がどうかしたの？」

「何《なに》かわかったの？」

「やっぱりあの輪入道《わにゅうどう》はトリックだったってことさ」

真実《しんじつ》は立《た》ち上《あ》がると、健太《けんた》たちのほうを見《み》た。

「この世《よ》に科学《かがく》で解《と》けないナゾはない。どうやって火《ひ》の気《け》のない場所《ばしょ》で火《ひ》を生《う》み出《だ》したのか、わかったよ！」

健太《けんた》くんが聞《き》いた
バチッという音《おと》は
何《なん》だったのか、
考《かんが》えてみよう。

解《かい》決《けつ》編《へん》

夜《よる》になると、真実《しんじつ》は、アガル、恐井《こわい》、山尾《やまお》を村《むら》はずれの丘《おか》の前《まえ》に集《あつ》めた。

「輪入道《わにゅうどう》のナゾを解《と》き明《あ》かしたってどういうこと～？」

「あれは……本物《ほんもの》の妖怪《ようかい》ですわ」

「ああ、山《やま》が怒《おこ》ったんだ。オメェらが興味本位《きょうみほんい》で山《やま》に近《ちか》づいたせいだ」

「あれは、本物《ほんもの》の妖怪《ようかい》ではありません。ぼくが今《いま》から昨日《きのう》と同《おな》じ現象《げんしょう》を起《お》こしてみせます」

真実《しんじつ》はそう言《い》うと、指《ゆび》をパチンと鳴《な》らした。

すると、月明《つきあ》かりに照《て》らされた丘《おか》の上《うえ》の木《き》のそばに、何《なに》かが現《あらわ》れた。

それは、真《ま》ん中《なか》に男《おとこ》の顔《かお》がついた車輪《しゃりん》だ。

「輪入道《わにゅうどう》だ!!」

アガルたちが叫《さけ》ぶなか、輪入道《わにゅうどう》が昨日《きのう》と同《おな》じように丘《おか》を転《ころ》がる。

バチッ！

次《つぎ》の瞬間《しゅんかん》、輪入道《わにゅうどう》が通《とお》った道筋《みちすじ》に、炎《ほのお》があがった。

「出《で》た！　これだよ、昨日《きのう》見《み》たのは！　チョーヤバイ！　チョーハイテンションだヨ～！」

アガルはカメラを向《む》けて動画《どうが》を撮《と》ろうとする。

しかし、山尾《やまお》が丘《おか》の上《うえ》の木《き》のそばを見《み》て叫《さけ》んだ。

「あそこに誰《だれ》かいっぞ！」

木《き》のそばに、健太《けんた》が立《た》っていた。

「実《じつ》は、彼《かれ》が木《き》のうしろから輪入道《わにゅうどう》を転《ころ》がしました」

「転《ころ》がした!?」

やがて、丘《おか》にあがった炎《ほのお》が消《き》え、遠《とお》くから声《こえ》が聞《き》こえてきた。

「真実《しんじつ》く～ん、無事回収《ぶじかいしゅう》したわよ～」

美希《みき》だ。美希《みき》の横《よこ》にはあの輪入道《わにゅうどう》がいる。

「川《かわ》から拾《ひろ》うの、けっこうたいへんだったわ」

「ありがとう、美希《みき》さん。こっちに持《も》ってきてくれるかな」

美希《みき》は輪入道《わにゅうどう》を一同《いちどう》のそばに持《も》ってきた。

輪入道《わにゅうどう》はびしょびしょに濡《ぬ》れている。

山尾《やまお》は、それを見《み》て目《め》を大《おお》きく見開《みひら》いた。

「んん？　この輪入道《わにゅうどう》、ただの作《つく》り物《もの》じゃねーか！」

輪入道《わにゅうどう》は、車輪《しゃりん》に発泡《はっぽう》スチロール製《せい》の顔《かお》がついた、作《つく》り物《もの》だった。

「ええ。健太《けんた》くんや美希《みき》さんと一緒《いっしょ》に急《いそ》いで作《つく》ったんです。あの炎《ほのお》が、科学《かがく》を応用《おうよう》したトリックだったということを証明《しょうめい》するために」

真実《しんじつ》は、トリックの説明《せつめい》をしはじめた。

「まず、輪入道《わにゅうどう》が転《ころ》がった場所《ばしょ》には、あらかじめベンジンがまかれていたんです。ベンジンはとても燃《も》えやすい液体《えきたい》で、わずかな火《ひ》の気《け》でも発火《はっか》することがあります」

「わずかな火《ひ》の気《け》？　そんなのあのときなかったヨ～？」

「わたしも……ちゃんと見《み》てたけど……、何《なに》もありませんでしたわ」

「確《たし》かに火《ひ》の気《け》はなかった。だから犯人《はんにん》は火《ひ》を生《う》み出《だ》したんです」

真実《しんじつ》は輪入道《わにゅうどう》が転《ころ》がった地面《じめん》を見《み》た。

そこには、地面《じめん》から針金《はりがね》が出《で》ていた。

「犯人《はんにん》は『静電気《せいでんき》』を利用《りよう》していたんです」

「静電気《せいでんき》!?」

真実《しんじつ》は一同《いちどう》に輪入道《わにゅうどう》を見《み》せる。輪入道《わにゅうどう》の車輪《しゃりん》の内側《うちがわ》は、金属《きんぞく》でできていた。

「犯人《はんにん》は、プラスチックの棒《ぼう》などをこすって静電気《せいでんき》を発生《はっせい》させ、それを金属部分《きんぞくぶぶん》に移《うつ》して、電気《でんき》を帯《お》びさせたんです」

真実《しんじつ》は、車輪《しゃりん》を指《ゆび》さす。

「輪入道《わにゅうどう》は静電気《せいでんき》を帯《お》びたまま転《ころ》がっていった。そして、針金《はりがね》のそばを通《とお》ったとき、針金《はりがね》が車輪《しゃりん》の金属部分《きんぞくぶぶん》に触《ふ》れ、たまっていた電気《でんき》が一気《いっき》に流《なが》れたんです」

真実《しんじつ》は針金《はりがね》の前《まえ》に立《た》った。

「健太《けんた》くんは、バチッという音《おと》を聞《き》いていた。それは金属部分《きんぞくぶぶん》から針金《はりがね》に向《む》かって、電気《でんき》が流《なが》れた音《おと》だったんです」

「電気《でんき》が流《なが》れただって～？」

「まわりには……確《たし》かベンジンが」

「てーことは、まさか……」

山尾《やまお》たち３人《にん》は、真実《しんじつ》のほうを見《み》た。

輪入道《わにゅうどう》のトリック

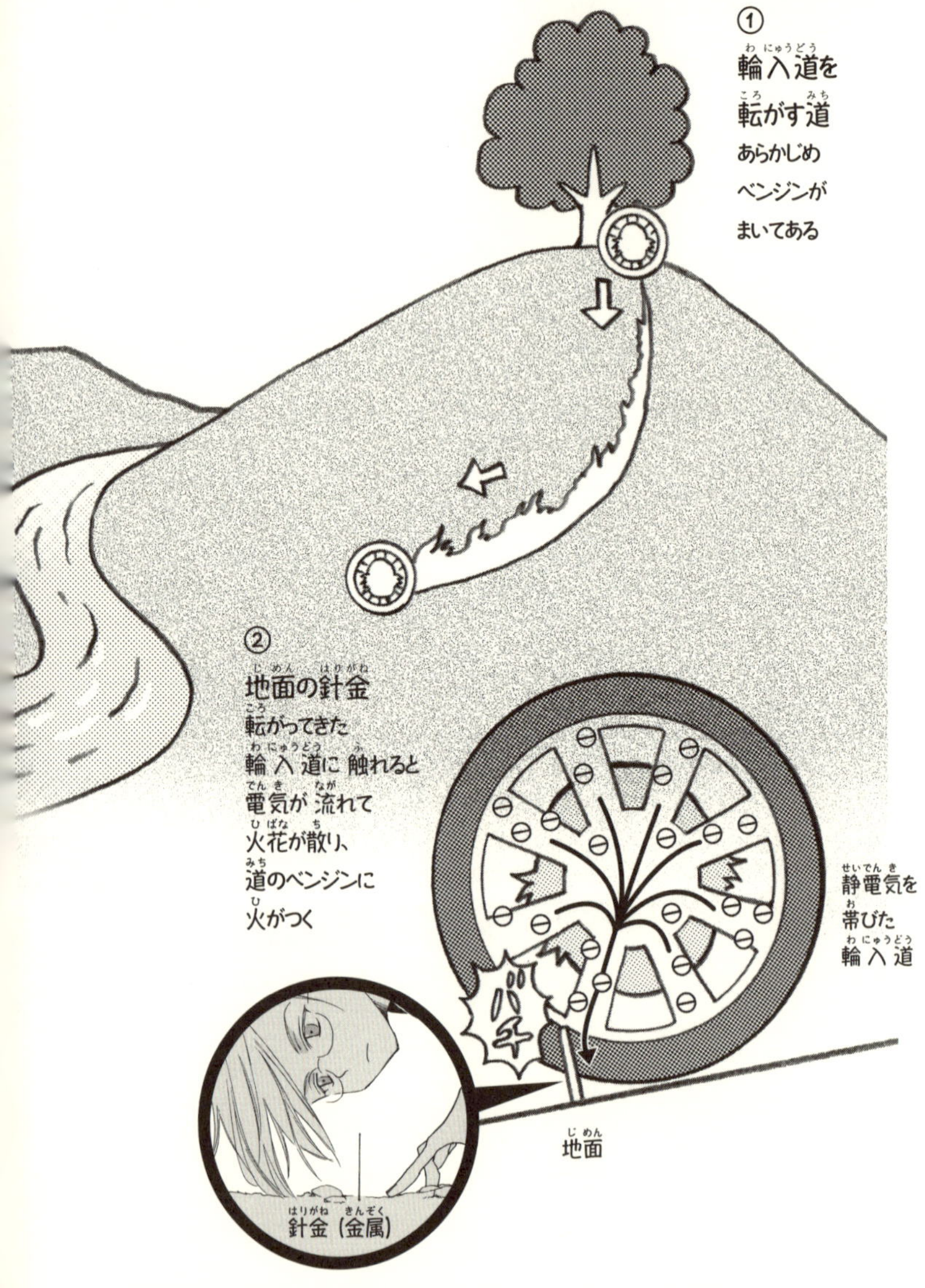
①
輪入道《わにゅうどう》を
転《ころ》がす道《みち》
あらかじめ
ベンジンが
まいてある
②
地面《じめん》の針金《はりがね》
転《ころ》がってきた
輪入道《わにゅうどう》に触《ふ》れると
電気《でんき》が流《なが》れて
火花《ひばな》が散《ち》り、
道《みち》のベンジンに
火《ひ》がつく
静電気《せいでんき》を
帯《お》びた
輪入道《わにゅうどう》
パチ
地面《じめん》
針金《はりがね》（金属《きんぞく》）

「そう。車輪《しゃりん》が針金《はりがね》に触《ふ》れた瞬間《しゅんかん》、車輪《しゃりん》にたまっていた電気《でんき》が針金《はりがね》に一気《いっき》に流《なが》れ、火花《ひばな》が散《ち》りました。その火花《ひばな》が、ベンジンに引火《いんか》したんです」

「なるほど、そんで突然《とつぜん》炎《ほのお》が現《あらわ》れたのか。で、ベンジンが燃《も》えつきたから、火《ひ》が消《き》えたんだな。けど、輪入道《わにゅうどう》はあのあと、どこに消《き》えたんだ？」

「山尾《やまお》さん、この丘《おか》の下《した》には何《なに》がありますか？」

「何《なに》って、小川《おがわ》が……、あっ！」

「そう、輪入道《わにゅうどう》は小川《おがわ》まで転《ころ》がった。顔《かお》が発泡《はっぽう》スチロールででき

③
川《かわ》
落《お》ちた輪入道《わにゅうどう》を
下流《かりゅう》で犯人《はんにん》が回収《かいしゅう》

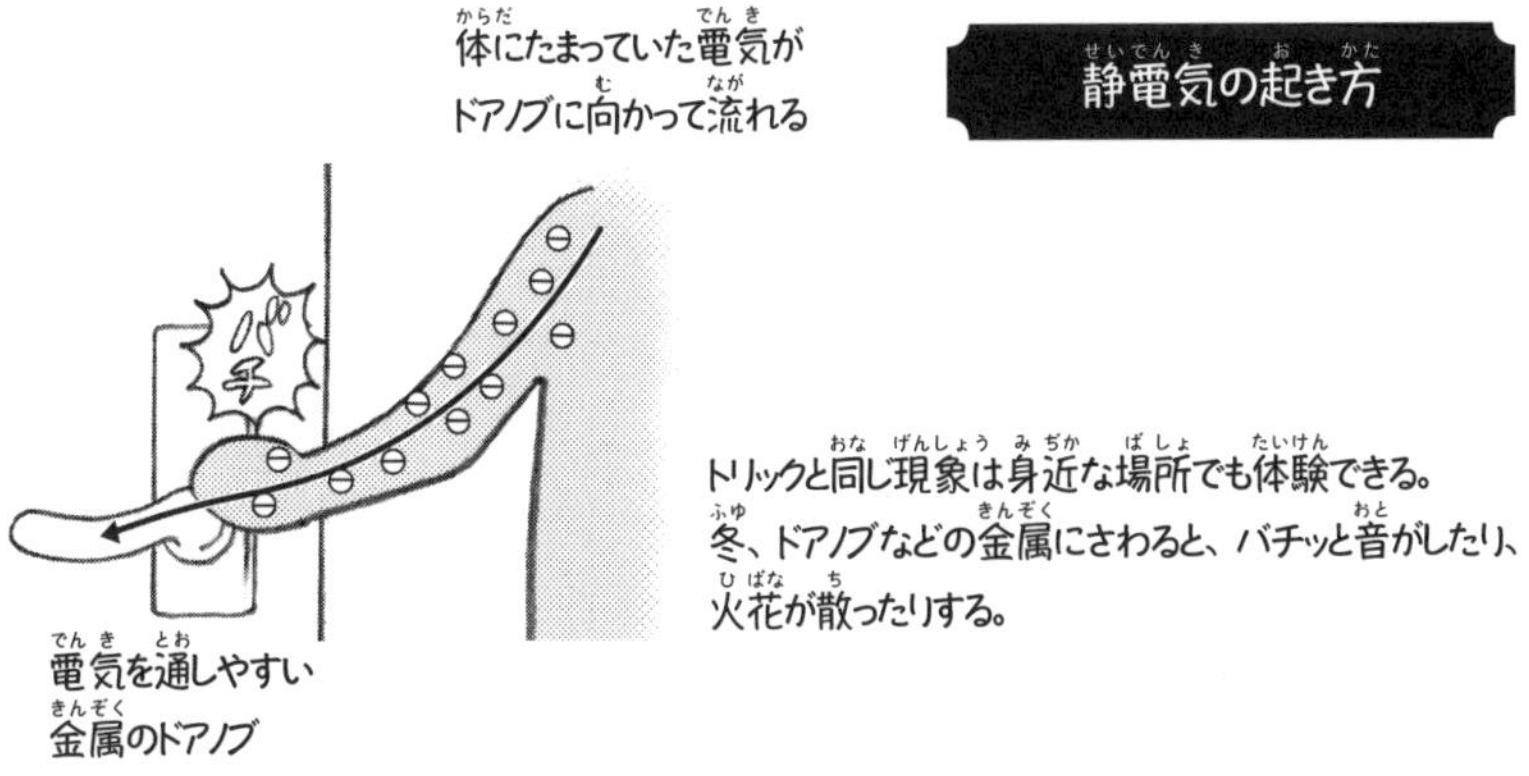
静電気《せいでんき》の起《お》き方《かた》
体《からだ》にたまっていた電気《でんき》が
ドアノブに向《む》かって流《なが》れる
電気《でんき》を通《とお》しやすい
金属《きんぞく》のドアノブ
トリックと同《おな》じ現象《げんしょう》は身近《みぢか》な場所《ばしょ》でも体験《たいけん》できる。
冬《ふゆ》、ドアノブなどの金属《きんぞく》にさわると、バチッと音《おと》がしたり、
火花《ひばな》が散《ち》ったりする。

ているので、浮かびながら川を流れていった。丘の上の木の陰にいた犯人は、バレないように暗闇《くらやみ》の中《なか》を移動《いどう》し、下流《かりゅう》で輪入道《わにゅうどう》を回収《かいしゅう》したんでしょう」

「何《なん》だって？　そんな騒動《そうどう》を起《お》こした不届《ふとど》き者《もの》は誰《だれ》なんだ？」

「アガルたち、すっかりだまされてたんだ。いやあ、スーパーテンションダウンだヨ〜」

「インスピレーションが湧《わ》いたというのに……、なんだかがっかりですわ」

何《なに》かを考《かんが》えていた美希《みき》は、真実《しんじつ》に話《はな》しかけた。

「やっぱり、あのとき一緒《いっしょ》にいた人《ひと》たちには、このトリックは無理《むり》ってことよね？」

「ああ、そういうことになるね」

「じゃあ、あのときいなかった人《ひと》が犯人《はんにん》ってこと？」

しかし、真実《しんじつ》は答《こた》えない。

真実《しんじつ》は、ただ口元《くちもと》に手《て》を当《あ》てて、何《なに》かを考《かんが》えていた。

3

SCIENCE TRICK DATA FILE

科学《かがく》トリック データファイル

Q.静電気《せいでんき》はどんなときに起《お》きやすいの？

静電気《せいでんき》で遊《あそ》ぼう！

電気《でんき》はプラスとマイナスの2種類《しゅるい》からできています。

ふつうは、プラスとマイナスの電気《でんき》がつりあって存在《そんざい》しています。

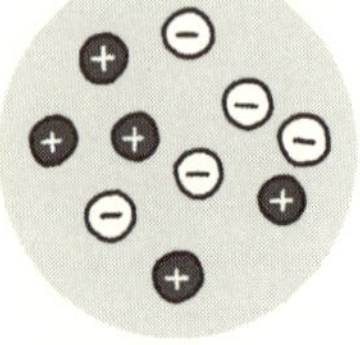

プラスとマイナスの数《かず》は同《おな》じ

合成《ごうせい》ゴム
ポリエチレン
塩化《えんか》ビニール
マイナスがたまりやすい

静電気《せいでんき》の起《お》きやすさは素材《そざい》によって違《ちが》う

プラスがたまりやすいものとマイナスがたまりやすいものをこすり合《あ》わせると、静電気《せいでんき》が起《お》きやすい。たとえば、塩化《えんか》ビニールの下敷《したじ》きと毛髪《もうはつ》は、静電気《せいでんき》が起《お》きやすい組《く》み合《あ》わせだ！

しかし、何《なに》かのきっかけで、プラスとマイナスのつりあいが取《と》れなくなり、どちらかが多《おお》くなることがあります。

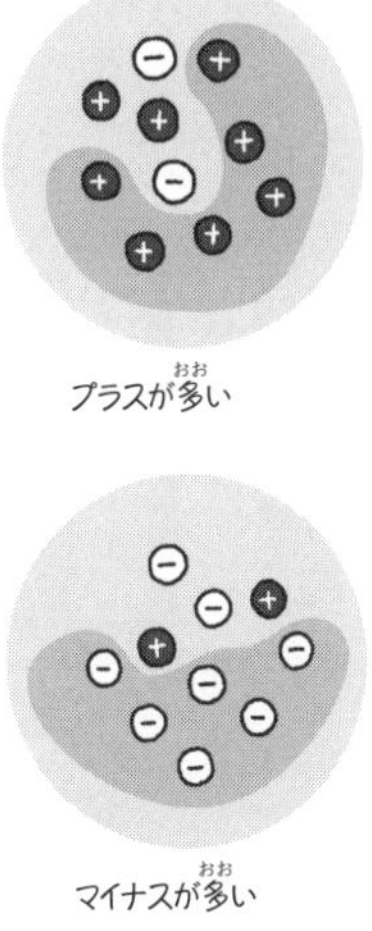
プラスが多《おお》い
マイナスが多《おお》い

これが、静電気《せいでんき》が起《お》きている状態《じょうたい》です。

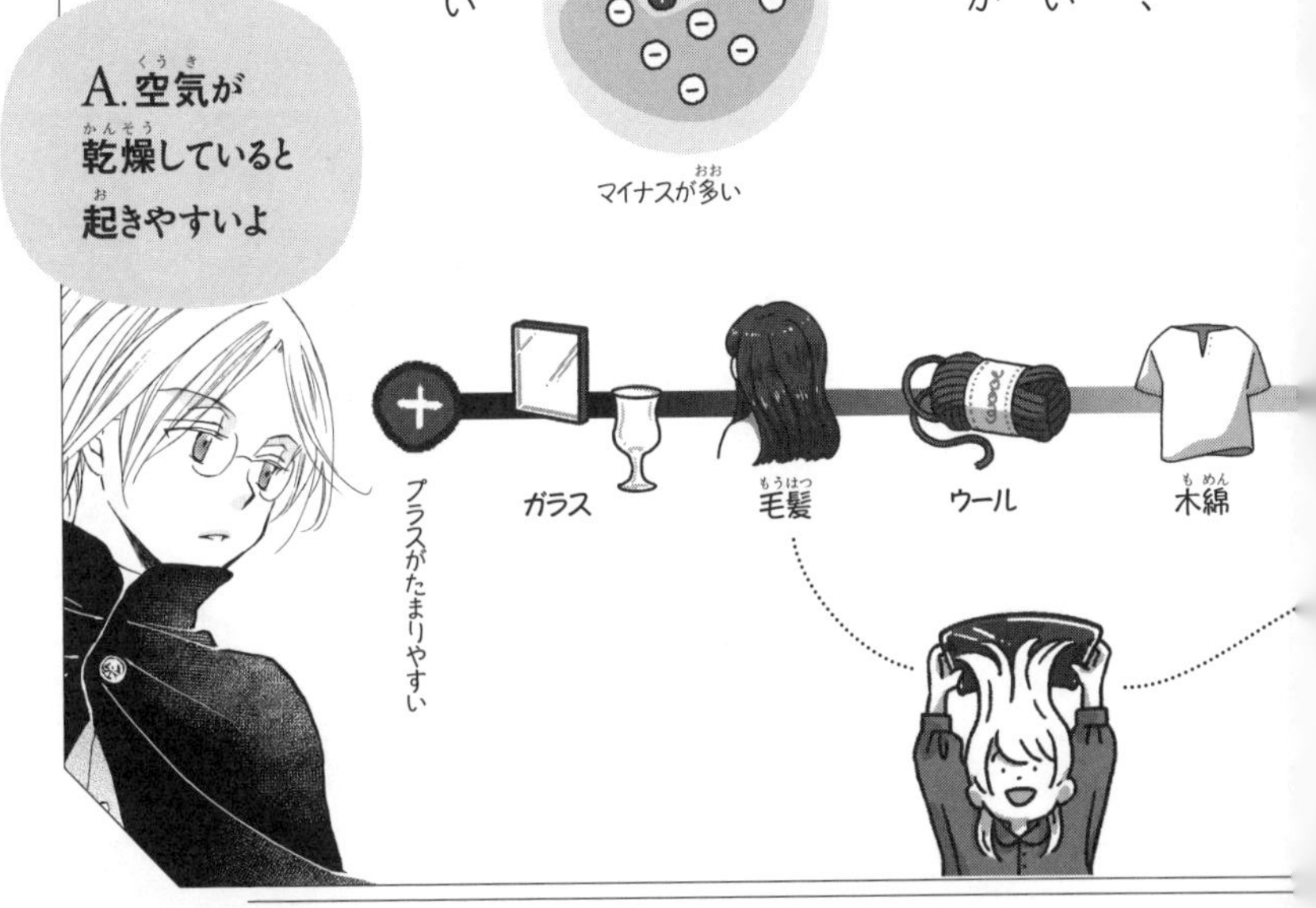
A.空気《くうき》が乾燥《かんそう》していると起《お》きやすいよ
プラスがたまりやすい
ガラス
毛髪《もうはつ》
ウール
木綿《もめん》

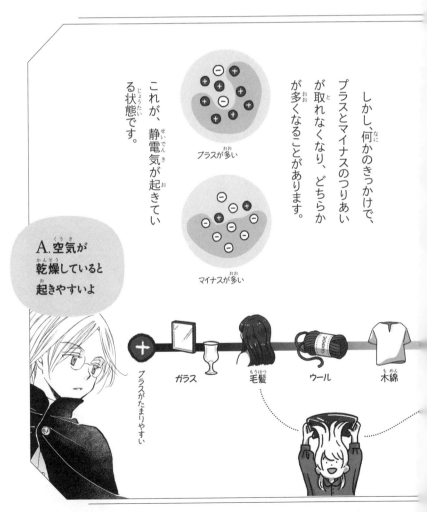

妖魔《ようま》の村《むら》4

吹雪《ふぶき》を吐《は》く赤《あか》ん坊《ぼう》

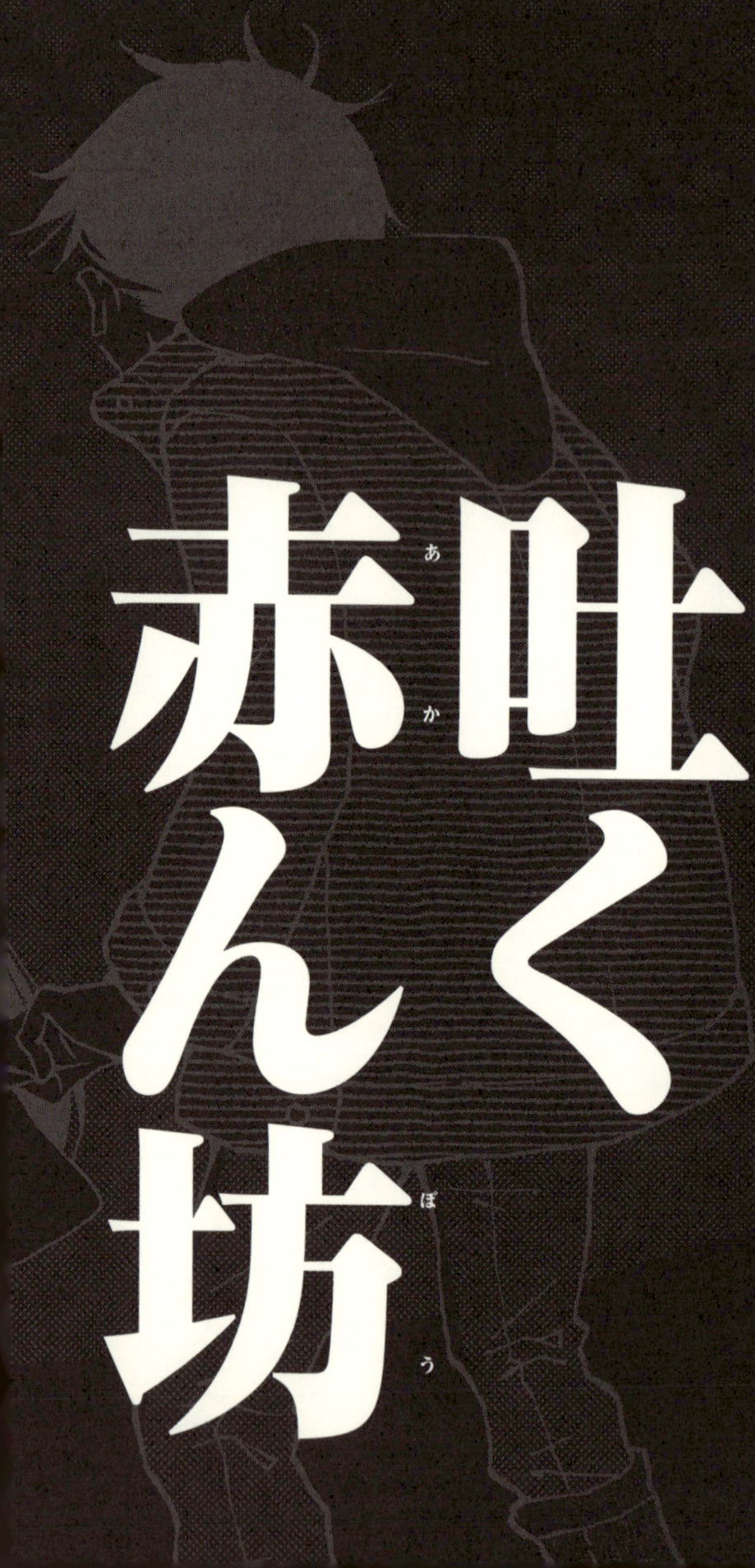

輪《わ》入道《にゅうどう》事件《じけん》を解決《かいけつ》した翌日《よくじつ》は、とても寒《さむ》い日《ひ》だった。

「ううっ、寒《さむ》い……」

「昨日《きのう》まではポカポカした春《はる》の陽気《ようき》だったのに……。完全《かんぜん》に真冬《まふゆ》に逆戻《ぎゃくもど》りね」

「矢戸田旅館《やどたりょかん》」のロビーにあるストーブに当《あ》たりながら、健太《けんた》、美希《みき》、真実《しんじつ》の3人《にん》は縮《ちぢ》こまっていた。

そこへ、村長《そんちょう》がホクホク顔《がお》で訪《たず》ねてくる。

「いや〜。妖怪騒動《ようかいそうどう》を次《つぎ》から次《つぎ》へと解決《かいけつ》してくれて、謎野《なぞの》くんたちには、ほんと……何《なん》とお礼《れい》を申《もう》し上《あ》げたらよいか、感謝《かんしゃ》の言葉《ことば》もない。ささ、どんどん食《た》べて」

村長《そんちょう》は、差《さ》し入《い》れに持《も》ってきたせんべいを3人《にん》にどん

どんすすめる。

美希《みき》はゲンナリしていたが、健太《けんた》は「いただきまーす」とうれしそうに、せんべいに手《て》を伸《の》ばした。

「いや、ありがたい！　この調子《ちょうし》で騒動《そうどう》を起《お》こしている犯人《はんにん》もつかまえてくれたらうれしいんだけど……」

村長《そんちょう》はそう言《い》うと、期待《きたい》のまなざしを真実《しんじつ》に向《む》けた。

「謎野《なぞの》くん、キミにはもう犯人《はんにん》の目星《めぼし》がついてるんだろう？」

「いえ、それはまだ……」

真実《しんじつ》は視線《しせん》をそらす。

「いや、その顔《かお》は『犯人《はんにん》を知《し》ってる』って顔《かお》だ。なあ、ほんのちょっと、ヒントだけでも教《おし》えてよぉ～」

「決定的《けっていてき》な証拠《しょうこ》がないので、今《いま》は何《なに》も言《い》えません」

真実《しんじつ》はそう言《い》って、食《く》いさがる村長《そんちょう》の追及《ついきゅう》をかわす。

「……そうか。わかったよ」

村長《そんちょう》はあきらめ、少《すこ》し間《ま》を置《お》いてから、気《き》を取《と》り直《なお》して言《い》った。

「実《じっ》は今日《きょう》キミを訪《たず》ねたのはね、そろそろまた、アレが出《で》るんじゃないかと思《おも》ったからなんだ」

「……アレ？」と、真実《しんじつ》は問《と》い返《かえ》す。

「アレって何《なん》ですか、村長《そんちょう》!?」

健太《けんた》と美希《みき》も身《み》を乗《の》り出《だ》してきた。

「アレとはつまり……雪女《ゆきおんな》だよ」

「雪女《ゆきおんな》!?」

「今日《きょう》みたいな寒《さむ》〜い日《ひ》に、雪女《ゆきおんな》は現《あらわ》れるんだよ。前回《ぜんかい》、雪女《ゆきおんな》が出没《しゅつぼつ》したのも、春《はる》とは思《おも》えないような寒《さむ》〜い日《ひ》だった……」

「でも、雪女《ゆきおんな》って、雪《ゆき》があるところに出《で》る妖怪《ようかい》ですよね？」

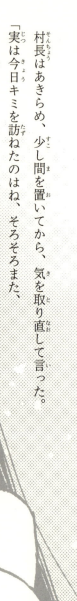

「今日《きょう》は寒《さむ》いけど、さすがに雪《ゆき》までは降《ふ》らないんじゃないですか？」

健太《けんた》と美希《みき》が不思議《ふしぎ》そうに尋《たず》ねる。

「いや、春先《はるさき》のこの時期《じき》でも村《むら》の裏《うら》にそびえる風雪山《ふうせつさん》は、まだ雪《ゆき》に覆《おお》われている。前回《ぜんかい》、雪《ゆき》女《おんな》が現《あらわ》れたのも、いまだ雪《ゆき》が残《のこ》る山《やま》の雪原《せつげん》だった」

「前回《ぜんかい》って、いつごろですか？」

真実《しんじつ》は村長《そんちょう》に問《と》い返《かえ》した。

「つい１週間前《しゅうかんまえ》だ。ひとりで登山《とざん》に来《き》た若者《わかもの》が襲《おそ》われてな……」

「襲《おそ》われた⁉」

驚《おどろ》く健太《けんた》と美希《みき》。

「その襲《おそ》われた方《かた》というのは、今《いま》もこの村《むら》にいるんですか？」

「いや」

村長《そんちょう》は首《くび》を振《ふ》った。

「山《やま》を下《お》りる途中《とちゅう》、その若者《わかもの》はけがをして、村《むら》の診療所《しんりょうじょ》に運《はこ》ばれた。だがすぐに回復《かいふく》して、その日《ひ》のうちに東京《とうきょう》へ帰《かえ》っていったよ」

「……そうですか。目撃者《もくげきしゃ》の話《はなし》が聞《き》けると思《おも》ったんですが」

村長《そんちょう》の言葉《ことば》に、真実《しんじつ》は残念《ざんねん》そうにつぶやいた。

「おお、そうだ！」

村長《そんちょう》が、急《きゅう》にひざをポンとたたいた。

「山尾《やまお》さんなら、詳《くわ》しい話《はなし》を知《し》ってるかもしれない！」

村長《そんちょう》によると、けがをした若者《わかもの》を助《たす》けて診療所《しんりょうじょ》に連《つ》れてきたのは、山尾《やまお》だという。

「えっ、あの山尾《やまお》さんが!?」

人《ひと》の顔《かお》を見《み》れば「とっとと帰《かえ》れ！」と怒鳴《どな》る、人間《にんげん》ぎらいの山尾《やまお》が人助《ひとだす》けをしたと聞《き》いて、健太《けんた》は驚《おどろ》いた。

「山尾《やまお》さんは、ああ見《み》えて、けっこうやさしい人《ひと》なんだよ」

村長《そんちょう》によると、山尾《やまお》は、山《やま》で遭難《そうなん》した人《ひと》の救助《きゅうじょ》にも積極的《せっきょくてき》に参加《さんか》しているという。

「しかもボランティアで、だ」

「へえ」

「そうなんですか」

「ただ人間《にんげん》への愛情《あいじょう》より、山《やま》への愛情《あいじょう》のほうが勝《まさ》っていて、山《やま》を荒《あ》らす人間《にんげん》は許《ゆる》せないって、すぐなっちゃうんだけどね」

そう言《い》って、村長《そんちょう》は苦笑《くしょう》する。その言葉《ことば》に、3人《にん》は納得《なっとく》したようにうなずいた。

村長《そんちょう》から話《はなし》を聞《き》いた真実《しんじつ》、健太《けんた》、美希《みき》の3人《にん》は、雪女《ゆきおんな》を探《さが》しにいく準備《じゅんび》を始《はじ》めた。

途中《とちゅう》、山《やま》の中腹付近《ちゅうふくふきん》にある山尾《やまお》の山小屋《やまごや》に立《た》ち寄《よ》って話《はなし》を聞《き》いたあと、雪女《ゆきおんな》が出没《しゅつぼつ》するといわれている雪原《せつげん》へ向《む》かう予定《よてい》だった。

準備《じゅんび》が整《ととの》い、旅館《りょかん》を出《で》ようとしたとき、3人《にん》は若旦那《わかだんな》の継男《つぐお》に呼《よ》び止《と》められる。

「キミたち、今日《きょう》はどこへ行《い》くの？」

「雪女《ゆきおんな》のことを調《しら》べに、雪原《せつげん》に行《い》くんです」

健太《けんた》が答《こた》えると、継男《つぐお》は驚《おどろ》いた顔《かお》になる。

「えっ、あの場所《ばしょ》に、キミたち3人《にん》だけで!?」

「風雪山《ふうせつさん》って、そんなに危険《きけん》なんですか？」

美希《みき》は、心配《しんぱい》になって問《と》い返《かえ》した。

「いや、まあ……雪原《せつげん》までは登山道《とざんどう》が整備《せいび》されていて、そんなにけわしい山道《やまみち》ではないけど、この時期《じき》、まだ雪《ゆき》も残《のこ》っているからね。子《こ》どもだけで行《い》くのは、ちょっと心配《しんぱい》かなぁ……」

継男《つぐお》はそうつぶやいて、3人《にん》の服装《ふくそう》を見《み》る。

「謎野《なぞの》くんは、とりあえずそれで平気《へいき》そうだけど、健太《けんた》くんと美希《みき》ちゃんには、これを貸《か》してあげよう」

軽装《けいそう》のふたりに、継男《つぐお》は防寒具《ぼうかんぐ》とスノーブーツを渡《わた》した。

「ありがとうございます」

「ぼくが道案内《みちあんない》してあげられたらいいんだけど、夕飯《ゆうはん》に出《だ》す魚《さかな》を釣《つ》りに行《い》かなきゃならないんでね」

経営《けいえい》が厳《きび》しいこの旅館《りょかん》では、経費節約《けいひせつやく》のため、客《きゃく》に出《だ》す料理《りょうり》の食材《しょくざい》のほとんどを自分《じぶん》たちの手《て》で調達《ちょうたつ》しているらしい。

「あの女将《おかみ》さんじゃ、継男《つぐお》さんも苦労《くろう》しますよね」

美希《みき》が声《こえ》をひそめながら言《い》うと、継男《つぐお》は「ははは……」と力《ちから》なく笑《わら》う。

「まあ、それじゃ気《き》をつけて。くれぐれも無理《むり》をしないように」

継男《つぐお》はそう言《い》って、真実《しんじつ》たちを見送《みおく》った。

30分《ぷん》ほど歩《ある》いて、真実《しんじつ》たちは、山《やま》のふもとの登山口《とざんぐち》に到着《とうちゃく》した。

そこから、山《やま》を登《のぼ》りはじめる。

渓流沿《けいりゅうぞ》いのなだらかな道《みち》をしばらく歩《ある》いていくと、ブナの森《もり》の道《みち》に出《で》た。

その道《みち》をさらに進《すす》んでいくと、次第《しだい》に木々《きぎ》がまばらになる。

登《のぼ》るごとに気温《きおん》は徐々《じょじょ》に低《ひく》くなっていき、足元《あしもと》に雪《ゆき》の残《のこ》った地面《じめん》がチラホラ見《み》えはじめた。

登山道《とざんどう》をしばらく歩《ある》いていったところに、１軒《けん》の山小屋《やまごや》があった。

「ねえ、あれ、もしかして山尾《やまお》さんの山小屋《やまごや》じゃない？」

美希《みき》が指《ゆび》さす。

「……そうだね。たぶん間違《まちが》いないだろう」

手《て》にした地図《ちず》に目《め》を落《お》としながら、真実《しんじつ》は言《い》った。

３人《にん》は、山小屋《やまごや》へ駆《か》け寄《よ》っていく。

――そのときだった。

安心

「出《で》てけ!!」

山小屋《やまごや》の中《なか》から、山尾《やまお》のすさまじい怒鳴《どな》り声《ごえ》が聞《き》こえてきた。

続《つづ》いて、入《い》り口《ぐち》から、ハイテンション・アガルと完全寺満夫《かんぜんじみつお》が飛《と》び出《だ》してくる。

山尾《やまお》は、そのあとを追《お》いかけながら、塩《しお》を投《な》げつけていた。

「出《で》てけ!!　二度《にど》と顔《かお》を出《だ》すんじゃねーぞ!!」

「はいはいはい、わかりましたヨ〜！」

「クソじじい、たたりにあっても知《し》らないからな！」

山尾《やまお》の剣幕《けんまく》にたじたじとなったアガルと完全寺《かんぜんじ》は、捨《す》てぜりふを残《のこ》し、その場《ば》を去《さ》っていった。

「あのふたりがここに来《く》るなんて、いったいどういうことかしら……？」

美希《みき》がいぶかしげにつぶやく。健太《けんた》はおそるおそる山尾《やまお》に近《ちか》づき、声《こえ》をかけた。

「あの……何《なに》かあったんですか？」

「何かあっただと⁉」

山尾は怒りをあらわにする。

アガルは、雪女《ゆきおんな》に襲《おそ》われた若者《わかもの》を山尾《やまお》が助《たす》けた話《はなし》を聞《き》いて、動画《どうが》を撮《と》る目的《もくてき》で山小屋《やまごや》を訪《たず》ねてきたという。完全寺《かんぜんじ》は、おふだを売《う》りつけに来《き》たらしかった。

「まったくタチが悪《わる》い！　けしからんヤツらだ！」

山尾《やまお》は吐《は》き捨《す》て、怒《いか》りに肩《かた》を震《ふる》わせる。

「あの……実《じつ》はぼくたちも、雪女《ゆきおんな》のことを聞《き》きに来《き》たんですけど……」

健太《けんた》が正直《しょうじき》に切《き》り出《だ》すと、美希《みき》があわてて横《よこ》から言《い》う。

「あっ、でも、わたしたちはけっして興味本位《きょうみほんい》じゃありませんよ！　村長《そんちょう》さんに頼《たの》まれて、この村《むら》で起《お》きている妖怪騒動《ようかいそうどう》を解決《かいけつ》しに来《き》たんです！」

「ま、オメェらは輪入道《わにゅうどう》の騒《さわ》ぎを解決《かいけつ》して、少《すこ》しは村《むら》の役《やく》に立《た》ってってからな」

山尾《やまお》は少《すこ》しだけ表情《ひょうじょう》をやわらげると、ボソリとした口調《くちょう》で3人《にん》に言《い》った。

「……で、何《なに》が聞《き》きてーんだ？」

「山尾《やまお》さんが助《たす》けたとき、雪女《ゆきおんな》に襲《おそ》われたというその方《かた》は、どんなようすでしたか？」

真実《しんじつ》の問《と》いかけに、山尾《やまお》は首《くび》をひねる。

「どんなようすって言《い》われてもなぁ……」

山尾《やまお》が声《こえ》をかけたとき、若者《わかもの》はけがをし、ただただおびえていたという。

「けがっつっても、あわてて山《やま》を下《お》りる途中《とちゅう》、ころんでねんざしただけで、大《たい》したこたぁねぇ」

しかし、若者《わかもの》は恐怖《きょうふ》のあまり、パニックを起《お》こしていたという。

「吹雪《ふぶき》を吐《は》く赤《あか》ん坊《ぼう》がどうとかって、そんなことばかりを繰《く》り返《かえ》していてな……」

「吹雪《ふぶき》を吐《は》く赤《あか》ん坊《ぼう》!?」

健太《けんた》は、思《おも》わず声《こえ》をあげた。

「ま、あの日《ひ》も今日《きょう》みてーな寒《さむ》い日《ひ》だったから、雪女《ゆきおんな》が出《で》てもおかしくはねぇ。オレは直接《ちょくせつ》見《み》たわけじゃねっから、なんとも言《い》えねーがな」

山尾《やまお》はそれだけ言《い》うと、話《はなし》を切《き》り上《あ》げようとした。

「……オレが知《し》ってることは、それくらいだ。もうえーだろ？　これから行《い》かなきゃなんねーとこがある。オレは忙《いそが》しーんだ」

山尾《やまお》がその場《ば》を去《さ》って姿《すがた》が見《み》えなくなると、完全寺《かんぜんじ》が物陰《ものかげ》からひょっこり姿《すがた》を現《あらわ》す。

真実《しんじつ》たちの話《はなし》に興味《きょうみ》があったのか、立《た》ち去《さ》らずに、こっそりこちらをのぞいていたのだった。

「あやしいわね！」

美希《みき》はその目《め》をキラリと光《ひか》らせる。

輪入道事件《わにゅうどうじけん》で真実《しんじつ》たちとずっと一緒《いっしょ》にいたアガルと恐井恐子《こわいきょうこ》にはアリバイがあり、犯人《はんにん》から除外《じょがい》された。

しかし、完全寺《かんぜんじ》にはアリバイがない。

「おふだを売《う》りたいという動機《どうき》もあるし……そうか、やっぱりアイツが犯人《はんにん》だったんだわ！」

美希《みき》は、完全寺《かんぜんじ》を尾行《びこう》すると言《い》いだした。

「ここは二手《ふたて》に分《わ》かれましょう。もしかしたら完全寺《かんぜんじ》が雪女《ゆきおんな》のトリックをしかけるところを押《お》さえられるかも……」

美希《みき》はそれだけ言《い》うと、歩《ある》きだした完全寺《かんぜんじ》を追《お》いかけていった。

美希《みき》と離《はな》れた真実《しんじつ》と健太《けんた》は、登山道《とざんどう》をさらに上《うえ》へと登《のぼ》っていき、雪原《せつげん》にたどり着《つ》く。

そこは一面《いちめん》真《ま》っ白《しろ》な雪《ゆき》に覆《おお》われた、白銀《はくぎん》の世界《せかい》だった。

「雪女《ゆきおんな》が出《で》たという雪原《せつげん》は、ここだよね……」

健太《けんた》は、思《おも》わずブルッと身《み》を震《ふる》わせる。

３６０度《ど》、どこを見渡《みわた》しても、雪《ゆき》、雪《ゆき》、雪《ゆき》――。

（こういうとこだったら、雪女《ゆきおんな》が出《で》てもおかしくないな……）

健太《けんた》は思《おも》った。

「なんだか、怖《こわ》いくらいに静《しず》かだね」

この時期《じき》、村人《むらびと》もめったに訪《おとず》れない山《やま》の雪原《せつげん》は、静寂《せいじゃく》に包《つつ》まれている。

だが、かたわらの真実《しんじつ》を見《み》ると、じっと押《お》し黙《だま》ったまま、何《なに》かに耳《みみ》を傾《かたむ》けているようだった。

「健太《けんた》くん、聞《き》こえるかい？」

「……え？」

真実《しんじつ》に言《い》われて健太《けんた》が耳《みみ》を澄《す》ますと——。


「**おぎゃー、おぎゃー**」


——遠《とお》くからかすかに、赤《あか》ん坊《ぼう》の泣《な》き声《ごえ》が聞《き》こえていた。

「……赤《あか》ちゃんの声《こえ》!?　そういえば、山尾《やまお》さんも言《い》ってたっけ……。助《たす》けた若者《わかもの》は、吹雪《ふぶき》を吐《は》く赤《あか》ん坊《ぼう》に出会《であ》って、おびえていたって」

雪女《ゆきおんな》の赤《あか》ん坊《ぼう》は、恐井恐子《こわいきょうこ》のマンガにも出《で》てきていた。

（すべてを凍《こお》らせて殺《ころ》してしまう恐《おそ》ろしい妖怪《ようかい》……もし、そんなのが本当《ほんとう》にいたら……？）

「おぎゃー、おぎゃー」

健太《けんた》が考《かんが》えているうちに、赤《あか》ん坊《ぼう》の泣《な》き声《ごえ》は、しだいに大《おお》きくなる。

サクッサクッ

続《つづ》いて、雪《ゆき》を踏《ふ》みしめるような足音《あしおと》が近《ちか》づいてきた。

見《み》ると、雪原《せつげん》の向《む》こうから白《しろ》い人影《ひとかげ》がやってくる。

人影《ひとかげ》は、雪《ゆき》のように真《ま》っ白《しろ》な着物《きもの》をまとった女《おんな》だった。

サクッサクッ

女《おんな》は、その腕《うで》に赤《あか》ん坊《ぼう》を抱《だ》いていた。

「雪女《ゆきおんな》!?」

健太《けんた》の背筋《せすじ》に、ゾクリと寒気《さむけ》が走《はし》る。

「おぎゃー、おぎゃー」

激《はげ》しく泣《な》きじゃくる赤《あか》ん坊《ぼう》の声《こえ》。

サクッサクッ

赤《あか》ん坊《ぼう》を抱《だ》いた女《おんな》は、どんどんこちらに近《ちか》づいてきた。

（……こっちに来《く》る！　どうしよう？　こういうときはどうすればいいの⁉）

健太《けんた》は、雪女《ゆきおんな》から逃《のが》れる呪文《じゅもん》のようなものはないかと考《かんが》えたが、何《なに》も思《おも》いつかなかった。

サクッサクッ

女《おんな》は、ふたりがいる場所《ばしょ》のすぐ近《ちか》くまで迫《せま》ってきた。

ほっそりした体《からだ》つきの、きゃしゃな女《おんな》――カラスの濡《ぬ》れ羽色《ばいろ》のような黒髪《くろかみ》は長《なが》く腰《こし》のあたりまで達《たっ》している。

髪《かみ》のあいだからほのかにのぞく女《おんな》の顔《かお》は、透《す》き通《とお》るような白《しろ》さで、くちびるだけが赤《あか》かった。

この世《よ》のものとは思《おも》えないほどの妖《あや》しい美《うつく》しさ――その姿《すがた》を見《み》て、健太《けんた》はパニックにおちいる。

（……やっぱり雪女《ゆきおんな》だ！　今度《こんど》こそ本物《ほんもの》の妖怪《ようかい》だ！）

しかし、かたわらの真実《しんじつ》は顔色《かおいろ》ひとつ変《か》えず、目《め》の前《まえ》の女《おんな》をじっと見《み》すえている。

「おぎゃー、おぎゃー」

赤《あか》ん坊《ぼう》を抱《だ》いた女《おんな》は、ふたりの真《ま》ん前《まえ》にやってきた。

次《つぎ》の瞬間《しゅんかん》、その口元《くちもと》が動《うご》く。

カラスの濡《ぬ》れ羽色《ばいろ》
水《みず》に濡《ぬ》れたカラスの羽《はね》のように、黒《くろ》くツヤツヤした髪《かみ》をほめるときに使《つか》う言葉《ことば》。

「……コノ子《こ》ヲ……抱《だ》ッコシテクレマセンカ?」

か細《ぼそ》い声《こえ》でつぶやく女《おんな》。

そして、女《おんな》はそのくちびるを半月《はんげつ》の形《かたち》にしながら、不気味《ぶきみ》な笑顔《えがお》を見《み》せた。

(これって、恐井先生《こわいせんせい》のマンガと同《おな》じセリフ!

このあと、雪女《ゆきおんな》に頼《たの》まれて赤《あか》ちゃんを抱《だ》いてしまった人《ひと》は、吹雪《ふぶき》にまかれて凍《こご》え死《じ》んでしまうんだ!)

マンガの展開《てんかい》を思《おも》い出《だ》した健太《けんた》は、恐怖《きょうふ》に凍《こお》りついた。

あとずさりしようとしたが、足《あし》がすっぽり雪《ゆき》にはまってしまい、身動《みうご》きができない。

そのとき、白《しろ》いおくるみに包《つつ》まれていた赤《あか》ん坊《ぼう》が、クルリとこちらに顔《かお》を向《む》けた。

その顔《かお》は、シワだらけのドクロのような恐《おそ》ろしい形相《ぎょうそう》だった。

落《お》ちくぼんだまぶたの奥《おく》で、ギョロリと血走《ちばし》った目《め》を光《ひか》らせている。

「うわあああああっ!!」

赤《あか》ん坊《ぼう》が大《おお》きく口《くち》を開《あ》けたのは、健《けん》太《た》が叫《さけ》び声《ごえ》をあげたのと同時《どうじ》だった。

そして――。

ゴオオオオオオッ！

赤《あか》ん坊《ぼう》は、その口《くち》から吹雪《ふぶき》を吐《は》いた。

健《けん》太《た》はその場《ば》に立《た》ちつくしたまま、吐《は》きだされる吹雪《ふぶき》を、ぼう然《ぜん》と見上《みあ》げている。

――そのときだった。

いきなり吹《ふ》いてきた突風《とっぷう》に、舞《ま》い散《ち》った雪《ゆき》があおられ、健《けん》太《た》のほうへ押《お》し寄《よ》せてきたのだった。

「危《あぶ》ない！　伏《ふ》せて！」

真実《しんじつ》はそう叫《さけ》んで、いきなり健太《けんた》の上《うえ》に覆《おお》いかぶさった。

ふたりは、そのまま雪《ゆき》の上《うえ》に倒《たお》れ込《こ》む。

次《つぎ》の瞬間《しゅんかん》、キラキラと輝《かがや》く雪《ゆき》が、ふたりの上《うえ》に降《ふ》りそそいだ。

このとき、真実《しんじつ》に守《まも》られて健太《けんた》は無事《ぶじ》だったが、上《うえ》に覆《おお》いかぶさっていた真実《しんじつ》の右手《みぎて》は、赤《あか》く腫《は》れあがる。

手《て》を押《お》さえる真実《しんじつ》の姿《すがた》を見《み》て、雪女《ゆきおんな》はハッとしたようすで、逃《に》げるようにその場《ば》を走《はし》り去《さ》っていった。


「……あれ？　ぼくたち、まだ生《い》きてる？」

しばらくして我《われ》に返《かえ》った健太《けんた》は、身《み》を起《お》こしてあたりを見回《みまわ》した。

──と、手《て》を赤《あか》く腫《は》らした真実《しんじつ》の姿《すがた》が目《め》に入《はい》る。

「真実《しんじつ》くん、だいじょうぶ!?」

健太《けんた》は、すぐに山《やま》を下《お》りて病院《びょういん》に行《い》こうと、真実《しんじつ》を促《うなが》した。

しかし、真実《しんじつ》は首《くび》を振《ふ》った。

「ぼくはだいじょうぶさ。それより雪女《ゆきおんな》のあとを追《お》うほうが先《さき》だ」

「でも……」

真実《しんじつ》は雪《ゆき》をひとつかみすると、自分《じぶん》の右手《みぎて》に当《あ》てる。

「これで、とりあえずはなんとかなる。急《いそ》ごう！」

真実《しんじつ》は健太《けんた》に告《つ》げると、雪女《ゆきおんな》の足跡《あしあと》をたどり、雪道《ゆきみち》を歩《ある》きはじめた。


雪女《ゆきおんな》の足跡《あしあと》を追《お》ってふたりがたどり着《つ》いたのは、なんと、先《さき》ほどの山尾《やまお》の山小屋《やまごや》だった。

足跡《あしあと》は山小屋《やまごや》のわきにある、まき割《わ》り場《ば》まで続《つづ》いている。

積《つ》みあげられたまきのあいだをのぞいてみると、そこには、脱《ぬ》ぎ捨《す》てられた白《しろ》い着物《きもの》と長《なが》い髪《かみ》のカツラが無造作《むぞうさ》に突《つ》っ込《こ》まれていた。

「これ、雪女《ゆきおんな》の！」

着物《きもの》を指《ゆび》さし、健太《けんた》が叫《さけ》ぶ。

「犯人《はんにん》はここで変装《へんそう》を解《と》いて、着物《きもの》を脱《ぬ》ぎ捨《す》てていったのだろう」

「えっ、犯人《はんにん》？　……ってことは、あれは本物《ほんもの》の雪女《ゆきおんな》じゃなかったの!?」

「当《あ》たり前《まえ》だろう。もしかしたら、犯人《はんにん》はまだ近《ちか》くに潜《ひそ》んでいるかもしれない。気《き》をつけて」

真実《しんじつ》に注意《ちゅうい》を促《うなが》され、健太《けんた》はあわててあたりを見回《みまわ》す。すると——。

「うわあああっ!!」

なんと、まき割《わ》り場《ば》には、あの恐《おそ》ろしい顔《かお》の赤《あか》ん坊《ぼう》も捨《す》てられていたのだった。

「あ、赤《あか》ちゃんが……！」


しかし、よく見《み》ると、赤《あか》ん坊《ぼう》は人形《にんぎょう》だった。持《も》ち上《あ》げると、「おぎゃー」という声《こえ》も出《で》る。

「どうやら、証拠《しょうこ》の品《しな》がそろったようだね」

真実《しんじつ》は赤《あか》ん坊《ぼう》の人形《にんぎょう》を手《て》に取《と》ると、それをじっくりと観察《かんさつ》しはじめる。

人形《にんぎょう》の背中《せなか》には、スイッチのようなボタンがあり、真実《しんじつ》がそれを押《お》すと、人形《にんぎょう》の口《くち》がパカッと開《ひら》いた。

真実《しんじつ》はニヤリとし、眼鏡《めがね》をクイッとあげる。

「やはりそうか。……この世《よ》に科学《かがく》で解《と》けないナゾはない。ぼくには、吹雪《ふぶき》を吐《は》く赤《あか》ん坊《ぼう》のトリックがわかったよ」

「え!?」

「この人形《にんぎょう》の中《なか》は、魔法瓶《まほうびん》のような容器《ようき》になっているんだ。そこには、ある状態《じょうたい》の水《みず》が入《い》れられていた」

「……ある状態《じょうたい》？」

「そう。その、ある状態《じょうたい》にした水《みず》を、この背中《せなか》のボタンを押《お》すことによって噴射《ふんしゃ》し、雪女《ゆきおんな》は吹雪《ふぶき》を起《お》こしていたというわけさ」

真実《しんじつ》の説明《せつめい》に、健太《けんた》は戸惑《とまど》いながらもうなずいてみせる。

はたして、真実《しんじつ》の言《い》う「ある状態《じょうたい》の水《みず》」とは、いったい何《なん》なのだろうか？

「ある状態《じょうたい》の水《みず》」が
ぼくの手《て》に
かかってしまったんだ。

解《かい》決《けつ》編《へん》

「一瞬《いっしゅん》で雪《ゆき》に変《か》わったってことは……凍《こお》る寸前《すんぜん》の冷《つめ》たい水《みず》なんじゃない？」

少《すこ》し考《かんが》えてから健太《けんた》が出《だ》した答《こた》えに、真実《しんじつ》は首《くび》を振《ふ》った。

「残念《ざんねん》だけど、ハズレ。正解《せいかい》は熱湯《ねっとう》だよ」

「えっ、まさかそんな……いくら寒《さむ》い場所《ばしょ》だからって、熱湯《ねっとう》が一瞬《いっしゅん》で雪《ゆき》になるなんてありえないよ」

驚《おどろ》く健太《けんた》に、「信《しん》じられないなら、実験《じっけん》してみる？」と真実《しんじつ》は言《い》いだした。


ふたりは、山小屋《やまごや》の中《なか》へと入《はい》っていく。

そこには、登山者《とざんしゃ》が使《つか》うための調理器具《ちょうりきぐ》が常備《じょうび》されていた。

真実《しんじつ》はそれを借《か》りて湯《ゆ》を沸《わ》かし、水筒《すいとう》の中《なか》に入《い》れた。

「これでよし。実験《じっけん》の準備《じゅんび》は整《ととの》った」


ふたたび外《そと》に出《で》た真実《しんじつ》と健太《けんた》は、山小屋《やまごや》の近《ちか》くの少《すこ》し開《ひら》けた場所《ばしょ》にやってくる。

「このへんでだいじょうぶだろう。危険《きけん》だから、離《はな》れた場所《ばしょ》から見《み》ていて」

真実《しんじつ》は健太《けんた》に告《つ》げる。

「じゃあ、いくよ！」

真実《しんじつ》は水筒《すいとう》のふたを取《と》ると、中《なか》の熱湯《ねっとう》を一気《いっき》に空中《くうちゅう》にまき散《ち》らした。

すると、なんと、熱湯《ねっとう》の水滴《すいてき》は瞬時《しゅんじ》にして吹雪《ふぶき》のような雪《ゆき》に変《か》わり、パーッと大《おお》きく、花火《はなび》のように広《ひろ》がったのだった。

「まさか、熱湯《ねっとう》がこんなふうになるなんて！」

健太《けんた》は、目《め》の前《まえ》の光景《こうけい》が信《しん》じられなかった。

「氷点下《ひょうてんか》の空中《くうちゅう》で熱湯《ねっとう》をまき散《ち》らすと、一瞬《いっしゅん》にして霧《きり》のように散《ち》らばり、キラキラした雪《ゆき》になる。水《みず》で同《おな》じことをやってもそうはならないんだ」

「熱湯《ねっとう》のほうが水《みず》より熱《あつ》いのに、どうして？」

寒《さむ》い場所《ばしょ》で熱湯《ねっとう》をまくと……

南極《なんきょく》に行《い》った人《ひと》が一度《いちど》はやってみるのが、熱《ねっ》湯《とう》をまき、吹雪《ふぶき》のようにする遊《あそ》びだという。ただし、この現象《げんしょう》は、氷点下《ひょうてんか》をかなり下回《したまわ》る低温《ていおん》でないと、きれいにできない。しかも風《かぜ》向《む》きなどによってはやけどをすることもあるので、気軽《きがる》に真似《まね》しないでね。

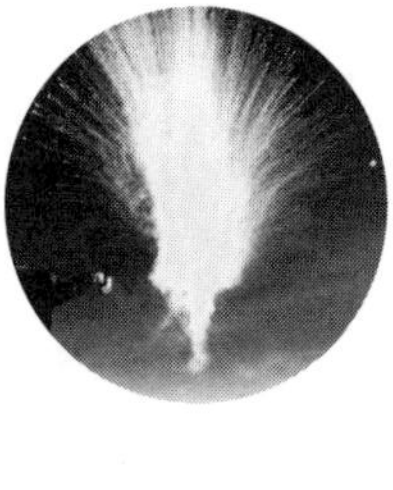

「熱湯《ねっとう》は、空中《くうちゅう》にまかれると水滴《すいてき》と湯気《ゆげ》に変《か》わる。湯気《ゆげ》の正体《しょうたい》は、とても細《こま》かい水滴《すいてき》だ。水《すい》滴《てき》が小《ちい》さければ小《ちい》さいほど熱《ねつ》が奪《うば》われるのも早《はや》くなるから、氷点下《ひょうてんか》の空中《くうちゅう》では一瞬《いっしゅん》で小《ちい》さな氷《こおり》に変《か》わるのさ」

真実《しんじつ》は続《つづ》けた。

「雪女《ゆきおんな》は、赤《あか》ん坊《ぼう》の人形《にんぎょう》の中《なか》に熱湯《ねっとう》を入《い》れ、それを口《くち》から噴射《ふんしゃ》させることによって、吹雪《ふぶき》を起《お》こしていた。だけど、その一部《いちぶ》はすぐには凍《こお》らずに熱湯《ねっとう》のままのこともあるから、肌《はだ》に直《ちょく》接《せつ》かかると、やけどする危険《きけん》もあるんだ」

「それじゃあ、真実《しんじつ》くん、キミの手《て》が赤《あか》く腫《は》れたのは……」

健太《けんた》の言葉《ことば》に、真実《しんじつ》はうなずく。

「うん、やけどだよ。でも、心配《しんぱい》ない。そんなにひどくないから」

そのとき、ふたりの背後《はいご》で「やったネ～！」というおなじみの声《こえ》が聞《き》こえてきた。

振《ふ》り返《かえ》ると、ハイテンション・アガルがカメラを自分《じぶん》に向《む》けながら動画《どうが》を撮影《さつえい》していた。

「アガル&真実《アンドしんじつ》の名探偵《めいたんてい》コンビが、またしても事件《じけん》を解決《かいけつ》だぁ～！　妖怪《ようかい》・雪女《ゆきおんな》！　赤《あか》ん坊《ぼう》が吐《は》く吹雪《ふぶき》の正体《しょうたい》は、なんとなんと、氷点下《ひょうてんか》の空中《くうちゅう》にまき散《ち》らされた、熱湯《ねっとう》だったんだネ～！」

アガルは、真実《しんじつ》が言《い》ったことを、まるで自分《じぶん》が発見《はっけん》したことのようにカメラに向《む》かって話《はな》していた。

――それだけではなかった。

アガルは、真実《しんじつ》が言《い》わなかったことまで口《くち》にしはじめたのである。

「さらにさらにィ～、妖怪騒動《ようかいそうどう》の犯人《はんにん》が誰《だれ》か、ボクにはもうわかっちゃったヨ～！」

「えっ、本当《ほんとう》ですか、アガルさん!?」

健太《けんた》は、驚《おどろ》いてアガルに尋《たず》ねる。すると、アガルは答《こた》えた。

「雪女《ゆきおんな》に変装《へんそう》した犯人《はんにん》が脱《ぬ》ぎ捨《す》てていった着物《きもの》とカツラ、キミたちも見《み》たっしょ？　それがこの山小屋《やまごや》で発見《はっけん》されたってことは、犯人《はんにん》はその小屋《こや》の住人《じゅうにん》ってことで決《き》まりじゃ～ん？」

「いや、それは……」と、真実《しんじつ》。

「だいじょうぶ、あとのことはボクにまかせて～！　犯人《はんにん》、捕《つか》まえてあげるから！」

アガルはニカッと笑《わら》ってV《ブイ》サインすると、その場《ば》を離《はな》れていく。

「違《ちが》う！　あなたの言《い》ってるその人《ひと》は犯人《はんにん》じゃ……！」

真実《しんじつ》は言《い》いかけたが、アガルはすでに姿《すがた》を消《け》していた。

真実《しんじつ》たちが山《やま》を下《お》りると、村《むら》は騒然《そうぜん》としていた。

アガルの話《はなし》を真《ま》に受《う》けた村人《むらびと》たちが、山尾《やまお》を妖怪騒動《ようかいそうどう》の黒幕《くろまく》――犯人《はんにん》と思《おも》い込《こ》み、つかまえて村長《そんちょう》のもとへ引《ひ》っ張《ぱ》っていこうとしていたのである。


「オレは、雪女《ゆきおんな》など知《し》らん！　さっさと離《はな》せ！」


村人《むらびと》たちに腕《うで》をつかまれた山尾《やまお》は、抵抗《ていこう》しながら叫《さけ》んでいた。

「しらばっくれるな！」

「そうだ！」

「雪女《ゆきおんな》に変装《へんそう》した着物《きもの》やカツラが、アンタの山小屋《やまごや》で見《み》つかったのが何《なに》よりの証拠《しょうこ》だぞ！」

村人《むらびと》たちは、口々《くちぐち》に言《い》う。

「違《ちが》います！　山尾《やまお》さんは犯人《はんにん》じゃありません！」

そのとき、真実《しんじつ》が前《まえ》に進《すす》み出《で》て、村人《むらびと》たちに言《い》った。

「ぼくたちは、雪女《ゆきおんな》に扮《ふん》した犯人《はんにん》をこの目《め》で見《み》たんです」

真実《しんじつ》が告《つ》げると、村人《むらびと》たちはザワザワしだした。

「ぼくたちが見《み》た雪女《ゆきおんな》は、小柄《こがら》でほっそりしていました。山尾《やまお》さんは、背《せ》は低《ひく》いけど、肩幅《かたはば》が広《ひろ》く、ズングリした体形《たいけい》です。顔《かお》や髪形《かみがた》はメイクやカツラでごまかせても、体形《たいけい》まではごまかせません。雪女《ゆきおんな》に扮《ふん》した犯人《はんにん》は、山尾《やまお》さんではありません」

真実《しんじつ》の言葉《ことば》に、村人《むらびと》たちは顔《かお》を見合《みあ》わせる。

「確《たし》かに冷静《れいせい》に考《かんが》えたら、こんなクマみたいなおっさんが雪女《ゆきおんな》っていうのも、イメージに合《あ》わないいな」

「だから、さっきから言《い》ってってっだろ！　失礼《しつれい》なヤツらだ！」

「いや〜、すまん。もとはといえば、アイツが……」

村人《むらびと》たちは振《ふ》り返《かえ》って、アガルの姿《すがた》を捜《さが》す。

しかし、さっきまでカメラを手《て》に動画《どうが》を撮《と》っていたアガルは、形勢《けいせい》が不利《ふり》と悟《さと》るや、スタコラサッサとその場《ば》を逃《に》げ出《だ》していたのだった。

「まったく、早《はや》とちりもいいとこよね〜」

遠《とお》ざかっていくアガルの姿《すがた》を見《み》ながらつぶやいたのは、腕組《うでぐ》みをした美希《みき》だ。

いつの間《ま》にか野次馬《やじうま》に交《ま》じって、騒動《そうどう》を見《み》ていたのである。

「美希《みき》ちゃん！」

健太《けんた》はうれしそうに声《こえ》をかけた。

「……それで？　完全寺《かんぜんじ》さんの尾行《びこう》はどうなったの？」

「ハズレよ。ずっと見《み》ていたけど、あれからあの人《ひと》、山《やま》を下《お》りて旅館《りょかん》に戻《もど》って、村長《そんちょう》さんと世間話《せけんばなし》をしながら、おせんべいを食《た》べていただけだったわ」

「……そっか」

肩《かた》を落《お》とす健太《けんた》。

「でも、じゃあ、犯人《はんにん》って、いったい誰《だれ》なんだろう？」

「ぼくには、もう見当《けんとう》はついているさ」

真実《しんじつ》はそう言《い》って、眼鏡《めがね》の奥《おく》の瞳《ひとみ》をキラリと光《ひか》らせた。

4

SCIENCE TRICK DATA FILE

科学《かがく》トリック データファイル

Q.いちばん低《ひく》い温度《おんど》って、何℃ぐらいなの?

低温《ていおん》の奇妙《きみょう》な世界《せかい》

低《ひく》い温度《おんど》だからこそ起《お》こる、不思議《ふしぎ》な現象《げんしょう》を見《み》てみましょう。

マイナス 80℃ ぐらい

二酸化炭素《にさんかたんそ》が凍《こお》る

二酸化炭素《にさんかたんそ》が凍《こお》って、
ドライアイスになる。

マイナス 93℃

地球上《ちきゅうじょう》の最低気温《さいていきおん》

2010年《ねん》、南極《なんきょく》での記録《きろく》。
(衛星《えいせい》による観測《かんそく》)

マイナス 135℃ 以下《いか》

磁石《じしゃく》が宙《ちゅう》に浮《う》く!

低温下《ていおんか》で電気抵抗《でんきていこう》がゼロになる
「超伝導《ちょうでんどう》」によって起《お》こる現象《げんしょう》。
素材《そざい》によって、超伝導《ちょうでんどう》が起《お》こる温度《おんど》は異《こと》なる。
リニアモーターカーはこの原理《げんり》を使《つか》って車体《しゃたい》を
浮《う》かせている。

A. 最《もっと》も低《ひく》い温度《おんど》は
マイナス273.15℃
とされているよ

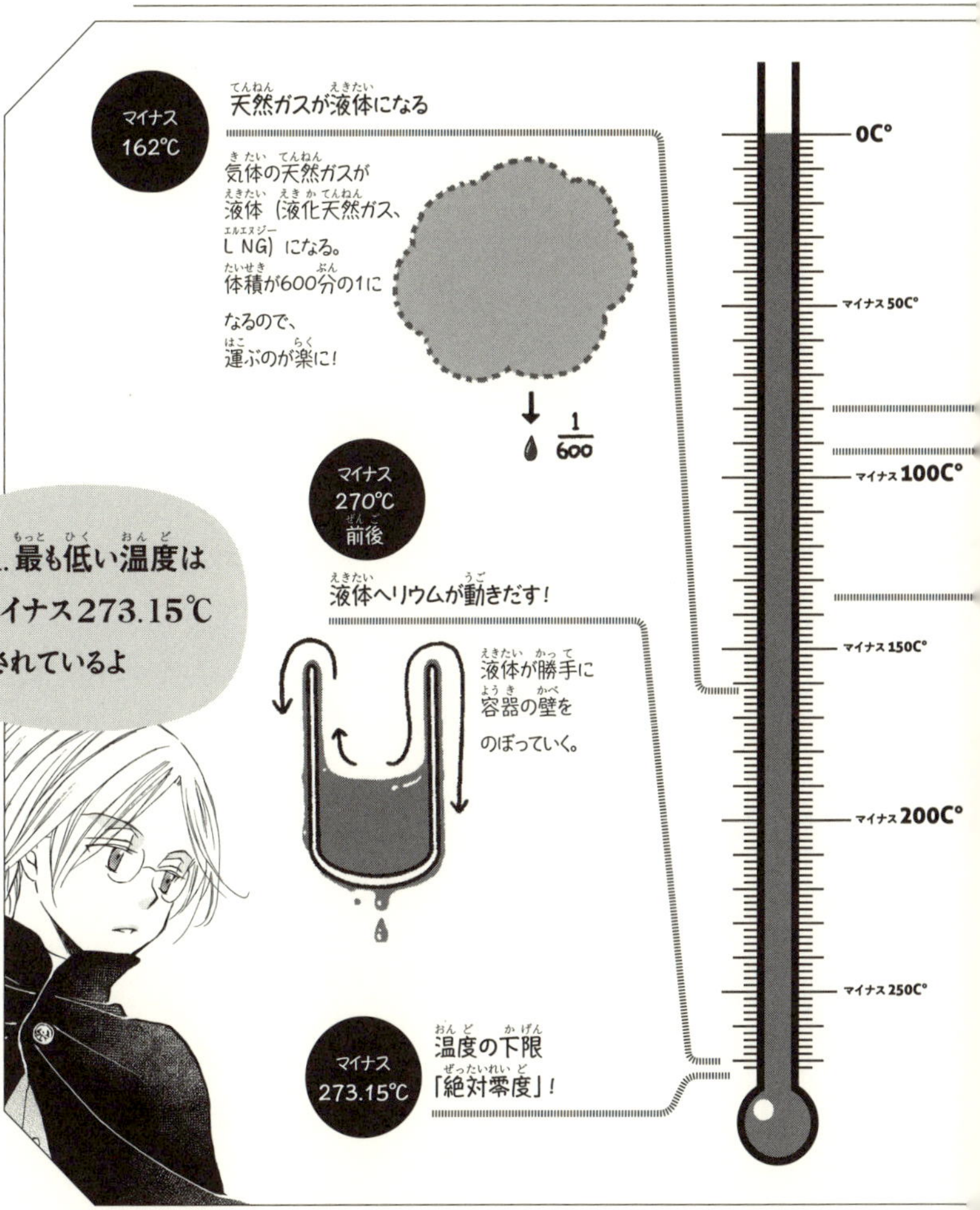

「真実《しんじつ》くん、いったい誰《だれ》が、雪女《ゆきおんな》に変装《へんそう》した犯人《はんにん》なの？」

健太《けんた》の声《こえ》に反応《はんのう》し、まわりのみんながいっせいに真実《しんじつ》のほうを見《み》た。

真実《しんじつ》は一同《いちどう》を見渡《みわた》す。そして、ゆっくりと口《くち》を開《ひら》いた。

「雪女《ゆきおんな》だけじゃない。ぼくたちが最初《さいしょ》に泊《と》まった宿《やど》のおじいさんとおばあさんも、その人《ひと》の変装《へんそう》だったんだ」

「えええ？　じゃあ犯人《はんにん》は、ふたりってこと？」

健太《けんた》が尋《たず》ねると、真実《しんじつ》は首《くび》を小《ちい》さく横《よこ》に振《ふ》った。

「犯人《はんにん》はひとりだよ。健太《けんた》くん、思《おも》い出《だ》してごらん。あの宿《やど》には確《たし》かにおじいさんとおばあさんがいた。だけど、ぼくたちは、ふたりが同時《どうじ》にいたところを見《み》ていないだろう？」

「あっ、そう言《い》われればそうだったかも。おばあさんがいるときは、おじいさんはいなかったよね」

「あの不思議《ふしぎ》な宿《やど》も、犯人《はんにん》がしくんだトリックだ。山《やま》の中《なか》にはもともと、似《に》たような建物《たてもの》がふたつあったんだ。犯人《はんにん》はそのうちのひとつを宿屋《やどや》に、もうひとつをボロボロの廃墟《はいきょ》にしたてあげた。ぼくたちはそのふたつの建物《たてもの》を見《み》せられたことによって、宿《やど》が急《きゅう》にボロボロになったように思《おも》ってしまったんだ」

「なるほど、そういうことだったんだ」

「そして犯人《はんにん》は、ぼくらがあの日宿《ひやど》を出《で》たあと、変装《へんそう》を解《と》いて、何食《なにく》わぬ顔《かお》でぼくたちの前《まえ》に現《あらわ》れた」

「ぼくたちの前《まえ》に？　じゃあ、犯人《はんにん》は知《し》ってる人《ひと》ってこと？」

「犯人《はんにん》は、ぼくたちをボロボロの建物《たてもの》に連《つ》れていき、輪入道《わにゅうどう》が現《あらわ》れたときにはそばにおらず、雪女《ゆきおんな》と同《おな》じような体形《たいけい》の人《ひと》だよ」

「えっ、それって、まさか……」

健太《けんた》がそうつぶやいたとき、ひとりの男《おとこ》の人《ひと》が近《ちか》づいてきた。

川《かわ》に魚釣《さかなつ》りに行《い》っていた継男《つぐお》だ。

「謎野《なぞの》くん、村《むら》の人《ひと》に聞《き》いて来《き》たんだけど、用事《ようじ》って何《なん》だい？」

どうやら、真実《しんじつ》が村《むら》の人《ひと》に頼《たの》んで、継男《つぐお》を呼《よ》んできてもらったらしい。

「継男《つぐお》さんなら、何《なに》か知《し》っているかもしれないと思《おも》ったんです。さっき、ぼくたちが遭遇《そうぐう》した雪女《ゆきおんな》について」

「ええええ、雪女《ゆきおんな》!? まさか本当《ほんとう》にいたのかい？」

「いいえ、誰《だれ》かが変装《へんそう》していただけだと思《おも》います。継男《つぐお》さんならその犯人《はんにん》がわかるんじゃないかと思《おも》って」

「変装《へんそう》かあ。雪女《ゆきおんな》ってことだから、女《おんな》の人《ひと》だよねえ。う〜ん、村《むら》で変装《へんそう》が得意《とくい》な女《おんな》の人《ひと》なんていたかなあ」

継男《つぐお》は腕《うで》を組《く》んで頭《あたま》をひねった。


「ううっ！」


そのとき、真実《しんじつ》が顔《かお》をゆがめて手《て》を押《お》さえた。

「謎野《なぞの》くん、どうしたんだい？」

「雪女《ゆきおんな》と遭遇《そうぐう》したとき、けがをしてしまって」

「けがを!? それはたいへんだ。診療所《しんりょうじょ》に行《い》こう！ やけどは早《はや》く治療《ちりょう》したほうがいいからね！」

継男《つぐお》はそう言《い》うと、真実《しんじつ》を連《つ》れていこうとした。

すると、真実《しんじつ》がそんな継男《つぐお》をじっと見《み》つめた。


「継男《つぐお》さん、あなたは、どうしてぼくのけがが、『やけど』だと思《おも》ったんですか？」

「えっ？」


見《み》ると、真実《しんじつ》はやけどをした手《て》を、もう一方《いっぽう》の手《て》で隠《かく》していた。

「このけががやけどだと知《し》っているのは、雪女《ゆきおんな》の吹雪《ふぶき》がやけどを引《ひ》き起《お》こす可能性《かのうせい》があると知《し》っている犯人《はんにん》だけ。——継男《つぐお》さん、一連《いちれん》の妖怪騒動《ようかいそうどう》は、やはりあなたのしわざだったんですね！」

まわりの人々《ひとびと》がどよめく。

「確《たし》かに継男《つぐお》さんは、輪入道《わにゅうどう》のときも、わたしたちのそばにはいなかったわ……」

「うん……、だけど、どうして継男《つぐお》さんが……？」
「いや、ぼくはその、あの……」
「オメェがやったのか！」

山尾《やまお》が継男《つぐお》に詰《つ》め寄《よ》った。

まわりの人々《ひとびと》も、継男《つぐお》を複雑《ふくざつ》な表情《ひょうじょう》で見《み》つめている。

次《つぎ》の瞬間《しゅんかん》、継男《つぐお》はがっくりと肩《かた》を落《お》とした。

「ぼくは……ぼくはただ、この村《むら》が話題《わだい》になればと思《おも》ったんだ……。そうすれば、旅館《りょかん》を立《た》て直《なお》すことができると思《おも》って……」

継男《つぐお》は、力《ちから》なくそう言《い》った。

「この前《まえ》、旅館《りょかん》を継《つ》ぐ前《まえ》は東京《とうきょう》で働《はたら》いていたと言《い》っただろう？　実《じつ》はぼく、東京《とうきょう》でお化《ば》け屋《や》敷《しき》のプランナーをしてたんだ」

「プランナー？」

健太《けんた》が首《くび》をかしげる。

「健太《けんた》くん、プランナーというのは、お化《ば》け屋敷《やしき》のしかけをつくる人《ひと》のことだよ」

「ああ。ぼくはね、子《こ》どものころからお化《ば》けが好《す》きで、それでお化《ば》け屋敷《やしき》のプランナーになったんだ。この村《むら》は、これといった観光《かんこう》スポットもないだろう？　旅館《りょかん》の経営《けいえい》もどんどん厳《きび》しくなって。それで観光客《かんこうきゃく》を集《あつ》めるために、自分《じぶん》に何《なに》ができるだろうって考《かんが》えたとき、プランナーの経験《けいけん》を生《い》かして妖怪騒動《ようかいそうどう》を起《お》こすことを思《おも》いついたんだ」

「恐井先生《こわいせんせい》のマンガのとおりに騒《さわ》ぎを起《お》こしたのは？」

「以前《いぜん》からヨーカイくんの大《だい》ファンだったんだ。まさか先生《せんせい》が旅館《りょかん》に泊《と》まりに来《き》てくれるとは思《おも》わなかったけど」

継男《つぐお》は一瞬《いっしゅん》ほほえんだものの、すぐに神妙《しんみょう》な顔《かお》つきになり、真実《しんじつ》のほうを見《み》た。

「正直《しょうじき》、お化《ば》け屋敷《やしき》プランナーの仕事《しごと》に未練《みれん》があったのかもしれない。謎野《なぞの》くんにトリックを見破《みやぶ》られるたびに、かつてのプランナー魂《だましい》が燃《も》え上《あ》がって、どんどんやりすぎてしまったんだ。だけどそのせいで、謎野《なぞの》くんにやけどを負《お》わせてしまった。村《むら》のみんなにも迷惑《めいわく》をかけてしまった……」

継男《つぐお》はみんなのほうに向《む》き直《なお》って言《い》った。

「ぼくはとんでもないことをしてしまいました！　みなさん、本当《ほんとう》にごめんなさい！」

そのまま頭《あたま》を深《ふか》く下《さ》げる。

「継男《つぐお》……」

村《むら》の人《ひと》たちはみな、顔《かお》を見合《みあ》わせた。継男《つぐお》になんと言《い》えばいいのかわからないようだ。

そのとき、村長《そんちょう》が一歩前《いっぽまえ》に出《で》た。

「おまえのやったことは、許《ゆる》されることではないぞ」

「それは、わかってます……」

「しかし、村《むら》のため、旅館《りょかん》のためにという気持《きも》ちはわかる。おまえがほんとは悪《わる》い人間《にんげん》じゃないってことは、村《むら》のみんなが知《し》っているからな」

「村長《そんちょう》……」

村長《そんちょう》は、真実《しんじつ》のほうを見《み》た。

「謎野《なぞの》くん、こいつは、根《ね》はいいやつなんだよ。だから、わたしたちは、今回《こんかい》のことを許《ゆる》してやりたい。キミたちも許《ゆる》してもらえんか。頼《たの》む、このとおりだ――」

村長《そんちょう》は頭《あたま》を下《さ》げた。

その姿《すがた》に、継男《つぐお》は驚《おどろ》く。

すると、ほかの村人《むらびと》たちも一歩前《いっぽまえ》に出《で》た。

「おれたちからも頼《たの》むよ。継男《つぐお》を許《ゆる》してやってくれ！」

村《むら》の人《ひと》たちはそう言《い》うと、村長《そんちょう》と同《おな》じように頭《あたま》を下《さ》げた。

「みんな……、みんな……」

継男《つぐお》の目《め》から涙《なみだ》がこぼれ落《お》ちる。

継男《つぐお》は、もう一度《いちど》深《ふか》く頭《あたま》を下《さ》げた。


翌朝《よくあさ》。

村《むら》を発《た》つ準備《じゅんび》をした真実《しんじつ》たちは、旅館《りょかん》の玄関《げんかん》にいた。

ハイテンション・アガルや恐井恐子《こわいきょうこ》も、今日《きょう》帰《かえ》るようだ。

「みなさん、ご迷惑《めいわく》をおかけしました」

「本当《ほんとう》に、ウチの息子《むすこ》がすみませんでした」

継男《つぐお》と女将《おかみ》は申《もう》し訳《わけ》なさそうな顔《かお》をしている。

「いやあ～、今回《こんかい》は本物《ほんもの》の妖怪《ようかい》に会《あ》えなくて残念《ざんねん》だったけど、スーパーＭＡＸ《マックス》ハイテンションだったよネ～」

アガルはカメラに向《む》かってテンション高《たか》くしゃべっていた。

「とても素敵《すてき》な旅《たび》……でしたわ。怖《こわ》いマンガを、いっぱい描《か》きたくなりましたもの」

アガルのとなりで、恐井《こわい》は不気味《ぶきみ》な笑《え》みを浮《う》かべていた。

ふたりとも怒《おこ》ってはいないらしい。

「今度《こんど》こそ、この村《むら》のためにがんばるよ。どうがんばればいいのか、わからないけど……」

継男《つぐお》は自信《じしん》のなさそうな表情《ひょうじょう》でそう言《い》った。

「いい村《むら》だもんね。もっと別《べつ》なことでも盛《も》り上《あ》げていけるはずよ」

そう言《い》って、美希《みき》は名残惜《なごりお》しそうに村《むら》を見回《みまわ》した。

「妖怪《ようかい》はまだおるかもしれんぞ！」

大《おお》きな旅行《りょこう》バッグを持《も》った完全寺満夫《かんぜんじみつお》が、ドスドスと足《あし》を踏《ふ》みならして一同《いちどう》のもとにやってきた。

「まだいるってどういうことですか？」

健太《けんた》が尋《たず》ねると、完全寺《かんぜんじ》はニカッと笑《わら》った。

「感《かん》じるのだ。この村《むら》には妖怪《ようかい》がおる！　ただ隠《かく》れて出《で》てこないだけなのだ！」

完全寺《かんぜんじ》の持《も》っている旅行《りょこう》バッグには、安心《あんしん》おふだのたばが入《はい》っていた。

「たぶん、あのおふだを、なんとかして売《う》りたいだけよね？」

「まあそうだろうね」

美希《みき》と真実《しんじつ》は、あきれ顔《がお》で溜《た》め息《いき》をもらす。

「妖怪《ようかい》かあ。ホントにいたらいいよね」

健太《けんた》はほほえんだが、ふと何《なに》かを感《かん》じ、旅館《りょかん》のそばにある茂《しげ》みのほうを見《み》た。

次《つぎ》の瞬間《しゅんかん》、茂《しげ》みの中《なか》から何《なに》かが飛《と》び出《だ》してきた。

「うわああ！　妖怪《ようかい》が出《で》た‼」


健太《けんた》はあわてて真実《しんじつ》にしがみつく。

真実《しんじつ》は茂《しげ》みのほうを見《み》て、苦笑《くしょう》した。

「健太《けんた》くん、落《お》ちつくんだ」

「へっ？」

見《み》ると、そこに立《た》っていたのは、山尾《やまお》だった。

「いやあ、オメェたちが帰《かえ》ると聞《き》いてな。見送《みおく》りに来《き》たんだよ」

「な〜んだ、そうだったのかあ」

「も〜、わざわざ茂《しげ》みから出《で》てこないでよねえ」

そのとき、健太《けんた》は山尾《やまお》の肩《かた》に何《なに》かがついていることに気《き》づいた。

「ん？」

顔《かお》を近《ちか》づける。思《おも》わず、目《め》を大《おお》きく見開《みひら》いた。

「ルリクワガタだ!!」

「ルリクワガタ？」

「幻《まぼろし》のクワガタだよ！　まさかこんなところにいるなんて！　ほらっ、見《み》て、このきれいな色《いろ》。瑠《る》璃《り》色《いろ》に輝《かがや》くから、ルリクワガタっていわれてるんだよ。……んん？　このルリクワガタ、ふつうのとちょっと違《ちが》うな。もしかして新種《しんしゅ》かも！」

「新種《しんしゅ》!?」

みんなが驚《おどろ》きの声《こえ》をあげた。

「新種《しんしゅ》を発見《はっけん》したってこと～？　アガル、MAX《マックス》ハイテンションだよ～！」

「すばらしい……ですわ。世間《せけん》に発表《はっぴょう》したら、大《おお》きな話題《わだい》になりますわね」

「大《おお》きな話題《わだい》？」

美希《みき》は何《なに》かを思《おも》いつくと、明《あか》るい表情《ひょうじょう》になった。

ルリクワガタ
本州《ほんしゅう》、四国《しこく》、九州《きゅうしゅう》の標《ひょう》高《こう》の高《たか》い場所《ばしょ》に生息《せいそく》する小《ち》さなクワガタムシ。体《からだ》が瑠《る》璃《り》色《いろ》（深《ふか》い青色《あおいろ》）に輝《かがや》く種類《しゅるい》もいる。成《せい》虫《ちゅう》は、ブナの倒木《とうぼく》の中《なか》などで越冬《えっとう》する。

「ねえ、ルリクワガタで村《むら》おこしをしたらどうかしら?」

「おお、それはエエかもしれねっぞ!」

「ええ、わたくしも賛成《さんせい》です!」

山尾《やまお》も女将《おかみ》も盛《も》り上《あ》がる。

「だけど、村《むら》おこしといっても何《なに》をすればエエんだ。オレもそーだが、村《むら》のみんなも、そういうのあまり得意《とくい》じゃねっぞ? 村長《そんちょう》は、せんべいを作《つく》ることしかできねェし……」

山尾《やまお》の言葉《ことば》に、女将《おかみ》はうなずく。すると、美希《みき》が笑《え》みを浮《う》かべた。

「そんなの決《き》まってるじゃない。継男《つぐお》さんが考《かんが》えればいいのよ！」

「ぼくが!?」

突然《とつぜん》の指名《しめい》に、継男《つぐお》は動揺《どうよう》した。

「そうか！　継男《つぐお》さんだったら、いいアイデアを思《おも》いつくよね。だって、あんなにすごい妖《よう》怪《かい》トリックを考《かんが》えついたぐらいだもん」

「健太《けんた》くん、だけどぼくは――」

戸惑《とまど》う継男《つぐお》に、真実《しんじつ》が静《しず》かに歩《あゆ》み寄《よ》った。

「あなたにならできるかもしれませんね。みんなが驚《おどろ》くような村《むら》おこしが」

「謎野《なぞの》くん……」

継男《つぐお》は女将《おかみ》のほうを見《み》る。

女将《おかみ》は継男《つぐお》を見《み》ながら、笑顔《えがお》で小《ちい》さくうなずいた。

「――わかった。村《むら》おこしのアイデアを考《かんが》えてみるよ。今度《こんど》こそ、みんなに喜《よろこ》んでもらえるものを考《かんが》えてみせる！」

継男《つぐお》はみんなを見《み》ながらそう言《い》った。

「よおし、じゃあ、記念《きねん》のおふだを売《う》ろうじゃないか!」

完全寺《かんぜんじ》が大《おお》きな声《こえ》をあげた。

見《み》ると、手《て》におふだを持《も》っている。

おふだの「安心《あんしん》」の部分《ぶぶん》にはペンで二重線《にじゅうせん》が引《ひ》かれ、となりに「新種《しんしゅ》」と手書《てが》きの文字《もじ》が書《か》かれていた。

「みんな! 新種《しんしゅ》のクワガタ発見記念《はっけんきねん》の、幸運《こううん》の新種《しんしゅ》おふだだぞ! 1枚千円《まいせんえん》、いや、記念《きねん》価格《かかく》の10枚《まい》100円《えん》で進《しん》ぜよう! さあ、早《はや》い者勝《ものが》ちだ!」

完全寺《かんぜんじ》はおふだを手《て》に、村《むら》の人《ひと》たちのほうへ歩《ある》いていった。

「あそこまでいくと、ある意味《いみ》すごいわね」

「まあ、10枚《まい》100円《えん》でも、買《か》う気《き》にはならないね」

「あははっ」

そのとき、ビューーッと森《もり》から風《かぜ》が吹《ふ》いてきた。

健太《けんた》は思《おも》わず森《もり》のほうを見《み》た。

「えっ？」


木々《きぎ》がザワザワしている。

次《つぎ》の瞬間《しゅんかん》、何《なに》か巨大《きょだい》な黒《くろ》いかたまりが木々《きぎ》のあいだを横切《よこぎ》った。

そして健太《けんた》のほうを向《む》いて、ニタリ……と笑《わら》った……ように見《み》えた。

「うわあぁ！　真実《しんじつ》くん、出《で》たよ！　今度《こんど》こそ妖怪《ようかい》が出《で》た!!」

健太《けんた》は真実《しんじつ》に抱《だ》きつき、森《もり》のほうを指《ゆび》さす。

しかし、真実《しんじつ》は首《くび》をかしげた。

「健太《けんた》くん、何《なに》を言《い》ってるんだい？　何《なに》もいないよ」

「へっ？」

森《もり》のほうを見《み》ると、すっかり静《しず》まりかえっていて、そこには何《なに》もいない。

「そんな、確《たし》かにいたのに！」

「幻《まぼろし》でも見《み》たんじゃないのかい」

「幻《まぼろし》……、そ、そうだったのかも……」

健太《けんた》は戸惑《とまど》いながらも、真実《しんじつ》から離《はな》れた。

瞬間《しゅんかん》、さわやかな春風《はるかぜ》が吹《ふ》きぬけた。

真実《しんじつ》は、ほほえみながら、村《むら》をながめた。

「確《たし》かに、いい村《むら》だったね」

真実《しんじつ》は、健太《けんた》と美希《みき》のほうを見《み》た。

「健太《けんた》くん、美希《みき》さん。さあ、帰《かえ》ろう。ぼくたちの町《まち》へ――」

真実《しんじつ》はそう言《い》うと、ゆっくり歩《ある》きだした。

See you
in the next mystery!

その後《ご》の科学探偵《かがくたんてい》「恐井恐子《こわいきょうこ》、待望《たいぼう》の新作《しんさく》！」

著者紹介

佐東みどり

脚本家・作家。アニメ「サザエさん」「ハローキティとあそぼう！まなぼう！」などを担当。小説に「恐怖コレクター」シリーズ、「謎新聞ミライタイムズ」シリーズなどがある。
（執筆：プロローグ、3章、エピローグ）

木滝りま

脚本家・作家。脚本家として、ドラマ「念力家族」「ほんとにあった怖い話」、アニメ「スイートプリキュア♪」など。代表作に、『世にも奇妙な物語 ドラマノベライズ 恐怖のはじまり編』がある。
（執筆：2章、4章）

田中智章

監督・脚本家。脚本家として、アニメ「ドラえもん」、映画「シャニダールの花」などを担当。監督としての代表作に、映画「放課後ノート」「花になる」などがある。
（執筆：1章）

挿画

木々（KIKI）

マンガ家・イラストレーター。代表作に、「バリエガーデン」シリーズ、「ラヴミー テンダー」シリーズなどがある。公式サイト：http://www.kikihouse.com/

ブックデザイン
アートディレクション

辻中浩一
＋
渡部文（ウフ）

協力　石川北二

好評発売中《こうひょうはつばいちゅう》!

科学探偵《かがくたんてい》 謎野真実《なぞのしんじつ》シリーズ

科学探偵《かがくたんてい》 VS.《ブイエス》 超能力少年《ちょうのうりょくしょうねん》

話題《わだい》の超能力少年《ちょうのうりょくしょうねん》とテレビ番組《ばんぐみ》で対決《たいけつ》した謎野真実《なぞのしんじつ》だったが、彼《かれ》の超能力《ちょうのうりょく》を解《と》き明《あ》かすことができず、敗北《はいぼく》してしまう。

「科学《かがく》で解《と》けないナゾはあるんだよ、ククク」

念力《ねんりき》、千里眼《せんりがん》、テレパシー、壁抜《かべぬ》け、透視《とうし》、念写《ねんしゃ》、空中浮遊《くうちゅうふゆう》……。

はたして、彼《かれ》の超能力《ちょうのうりょく》は本物《ほんもの》なのか!?

真実《しんじつ》は、このまま彼《かれ》に屈《くっ》してしまうのか!?

科学探偵《かがくたんてい》 謎野真実《なぞのしんじつ》シリーズの
公式《こうしき》サイトをチェックしよう!
おたより、似顔絵《にがおえ》、大募集中《だいぼしゅうちゅう》!
最新刊のお知らせ
シリーズの紹介
発売中の本
創刊記念!全員プレゼント
おたよりコーナー
小・中学生のためのワクワク・ドキドキの読み物
科学探偵
謎野真実シリーズ
大好評続々重版!
この世に科学で解けないナゾはない!
ぼくらの学校にやって来たのは
IQ200の天才少年探偵!
絵：木々
ホラーテイストな似顔絵《にがおえ》もお待《ま》ちしてますわ
ハイテンションな動画《どうが》も見《み》てネ〜!
▶公式《こうしき》サイト
朝日新聞出版
検索

監修　　　　金子丈夫（筑波大学附属中学校元副校長）
編集デスク　大宮耕一
編集　　　　河西久実
校閲　　　　宅美公美子、志保井里奈、野口高峰（朝日新聞総合サービス）

山風村マップ　渡辺みやこ
本文図版　　細雪純
コラム図版　佐藤まなか
本文写真　iStock、朝日新聞社
ブックデザイン／アートディレクション　辻中浩一＋渡部文（ウフ）

おもな参考文献
『新編 新しい理科』3～6（東京書籍）／『キッズペディア 科学館』日本科学未来館、筑波大学附属小学校理科部監修（小学館）／『週刊かがくる 改訂版』1～50号（朝日新聞出版）／『週刊かがくるプラス 改訂版』1～50号（朝日新聞出版）／「ののちゃんのDO科学」朝日新聞社（https://www.asahi.com/shimbun/nie/tamate/）

科学探偵《かがくたんてい》 謎野《なぞの》真実《しんじつ》シリーズ

科学探偵《かがくたんてい》 VS.《ブイエス》 妖魔《ようま》の村《むら》

2019年8月30日　第1刷発行
2022年5月20日　第7刷発行

著　者　　作：佐東みどり　木滝りま　田中智章　　絵：木々
発行者　　片桐圭子
発行所　　朝日新聞出版
〒104-8011
東京都中央区築地5-3-2
編集　生活・文化編集部
電話　03-5541-8833（編集）
03-5540-7793（販売）

印刷所・製本所　大日本印刷株式会社
ISBN978-4-02-331807-6
定価はカバーに表示してあります

落丁・乱丁の場合は弊社業務部（03-5540-7800）へ
ご連絡ください。送料弊社負担にてお取り替えいたします。